U0944032

萧乾 主编

新编文史笔记丛书

第二辑

16

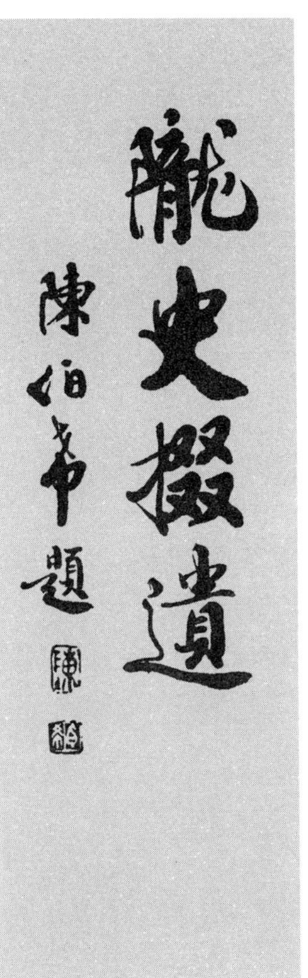

◎甘肃省文史研究馆 编

●王惠科 赵志凡 赵世英 主编

中華書局

目录

人物春秋

文坛艺苑

民族风光

文物胜景

弱水一瓢

民俗物华

社会百态

新编文史笔记丛书

序

萧 乾

读书界向来对野史有所偏爱。野史大多是信手拈来的历史片断,且往往出自亲历者之手。文直事核,不虚美,不隐恶,而文笔潇洒自如,意味隽永,自然朴实,篇幅不长;可以摊开来仔细咀嚼,也可供茶余酒后、行旅倥偬中,随手浏览。

鲁迅在《华盖集》中,曾几次对野史表示过好感。在《忽然想到》一文中写道:“历史上都写着中国的灵魂,指示着将来的命运,只因为涂饰太厚,废话太多,所以很不容易察出底细来。正如通过密叶投射在莓苔上面的月光,只看见点点碎影。但如看野史和杂记,可更容易了然了,因为他们究竟不必太摆史官的架子。”又在同书《这个与那个》一文中说:“野史和杂说自然也免不了有讹传,挟恩怨,但看往事却可以较分明,因为它究竟不像正史那样地装腔作势。”

全国文史研究馆所编的《新编文史笔记》丛书,内容也属野史杂说的范畴。我们希望这些以亲闻、亲见、亲历为主的轶事掌故、琐闻杂记,写人、事而摒除误会曲解,述历史而符合真实面目。

作为一种短隽有味,文字清奇而又雅俗共赏的文学体裁,笔记在中国具有悠久的传统。它始自魏晋,盛行于宋代。南朝刘义庆的《世说新语》,北宋沈括的《梦溪笔谈》,南宋陆游的《老学庵笔记》,明朝张岱的《陶庵梦忆》,清朝纪昀的《阅微草堂笔记》以及20世纪30年代初丰子恺的《缘缘堂随笔》,都是文学史上的奇葩。然而,近年来笔记乏人问津。因此,我们出这一套书,也包含着挽回颓势之意。

全国三十二所文史研究馆拥有雄厚的稿源,两千多位馆员和各馆联系的社会人士,都是丛书的撰稿人。他们都是文史界的耆宿,见多识广,阅历丰富:有的反对过帝制,有的在“五四”运动中扛过大旗,他们目睹过军阀的横行霸道,也经历过艰苦卓绝的八年抗战。这些历尽沧桑的饱学之士,他们的所见所闻,都是弥足珍贵的史料。

本丛书分辑出版，分别由各地文史研究馆编辑，内容亦以本乡本土为主。因此，各册势必具有浓厚的地方色彩。

本着笔记固有的传统，所收各文题材不嫌庞杂。举凡与文史有关的政治、经济、军事、文化、社会等方面，或记闻见杂事，或叙往昔交游，或忆社会百态，均在搜罗之列。时间跨度则自清末以迄 1949 年为止。这正是中华民族从闭关自守到走向世界，从落后羸弱到奋发图强，是天翻地覆、风起云涌的大半个世纪。其间，发生过多少可歌可泣的事迹，涌现过多少杰出的人物。以这一时间跨度为背景题材写出的笔记作品，必然是内容最为丰厚的。

在选稿标准上，我们坚持史料一定要真，内容要新；既要防止以讹传讹，也力避炒冷饭。在写法上务求短小精悍、生动活泼。每篇以千字为度，希望借此在文风方面，提倡一下简约。在版式上，则想做到既利于阅读，又便于携带。

恳切希望文史界方家及广大读者，不吝赐正。

武昌首义中的升旗人

马廷秀

张宗海，字瀚清，甘肃兰州人。清末考入甘肃陆军小学，后保送湖北陆军学校，加入了孙中山先生领导的同盟会，曾积极串连同事同学，从事反清活动。

1911年10月10日武昌起义时，他参加起义军，攻入湖广总督衙门，赶走总督瑞澂。次日，张宗海首先登上黄鹤楼顶，升起革命义旗，大大鼓舞了武汉三镇人民的战斗意志。起义军组织军政府，通电全国各省派代表参加。甘肃因路途遥远，联系不及，张宗海即以甘肃籍代表身份参加了军政府成立典礼。

袁世凯窃国时，张宗海秘密来到兰州，联络国民党在甘的革命人士和进步青年，进行倒袁活动，维护共和体制。事被甘肃督军张广建侦悉，下令悬赏缉拿。张宗海商通羊皮筏客，将他藏身于羊皮筏之下，露头于水面，顺流东浮四十里至桑园峡口，才登岸脱险而逃。旋由包头经天津东渡日本。

1917 年 8 月 25 日，孙中山在广州就任海陆军大元帅，展开"护法运动"，张宗海任大元帅府参军。护法运动失败后，张宗海流落于上海。1922 年我到上海，在马文元(甘肃张家川人)寓所见到了张宗海。张宗海对他以往的经历侃侃而谈，也坦率地谈了他当年的困境。中山先生曾将自己的衣物交他变卖，以济其困。并以"岁寒然后知松柏之后凋也"和"富贵不能淫，贫贱不能移"的铭言相勖勉。

此后，张宗海虽然一直在穷困中生活，但革命意志不移，后因反对蒋介石，在上海被暗杀。

孙中山北上前的一份复电

胡希蕴

民国十三年(1924)，冯玉祥、胡景翼、孙岳发动的"首都革命"(亦称北京政变)成功后，冯、胡、孙等于同年10月25日在北京北苑举行会议，决定组建国民军。共推冯玉祥为国民军总司令兼第一军军长，胡景翼为国民军副总司令兼第二军军长，孙岳为国民军副总司令兼第三军军长。随即三人联名电请孙中山先生北上主持国政，并派马伯援去广州迎请。孙中山先生欣然同意北上，10月28日的《北京晨报》，刊登孙中山先生的复电。

该报标题为：《孙文响应冯胡拟即日北上》，报道内容是：

> “昨国民军司令部接广东孙文感电。兹觅录其原文如左：
>
> 北京国民军冯总司令、胡孙两副司令□鉴：义旗高举，大憝被摧。诸兄功在国家，同深庆慰！建设大计，亟须决定，拟即日北上，与诸兄晤商。先此电达，诸维鉴及。孙文感（廿七日）”

此段史实，为一些史家所忽略，特表而出之。

于右任的一件墨迹

张尚瀛

我国近代著名的书法大师于右任先生，融历代书法之宗，自成一体，为海内外所尊崇。

1943年我在兰州东城壕古董摊废籍中偶得先生民国十六年(1927)4月手书的宣纸手令墨迹一幅,长4.1吋,宽6.2吋,纸质微有裂缝,其词为:

“同志们:国民革命势力与帝国主义及军阀方面作最后的搏战,故在革命战线上担负工作者,无论各党部、各机关、各部队务要振奋精神,努力服务。每日至少须有十小时的工作,星期日亦应照常办公,不得停止,以期推进工作,缩短战祸,催促革命之成功。凡我同志应高呼:

革命是我们的职业!

全时间献给革命!

全工作归给革命!

时间无停止!

革命无停止!

十六年四月于右任书。”

按上文内容,乃是1927年国共第一次合作时期,北伐中任国民联军驻陕总司令的于右任对各党部、各机关、各部队的共同要求。实为一件珍贵的历史文化瑰宝。

边币琐记

陇　丁

南梁布制“苏币”

1934年2月，由刘志丹领导的陕甘苏区在甘肃华池南梁小河沟四合台村建立了陕甘边区革命委员会。为促进贸易，发展经济，在华池荔园堡寨子湾成立陕甘边苏维埃银行，设立造币厂。因当时既无印刷机器，又无印票所需纸张，遂以布为原料印刷“苏币”。印制时，先将货币图案刻在木板上，再用白布蓝色拓印。为防退色和湿烂，将印好的白布蓝色币，涂以熟桐油晾干而成，叫做“南梁油布币”。面值为一角、二角、五角三种。1935年又发行面值一元的一种。同时发行“陕甘边苏维埃银行券”(一元兑换银元一元)。明令禁止国民政府发行的钞票和地主、豪绅、商号使用的“帖子”(即期票)等在苏区流通。

“南梁油布币”由于发行量少，流通范围小和时间短，至今仅在北京中国革命历史博物馆珍藏面值一角的一张和尚未套印面值的半成品一张(13.7厘米× 6.6厘米)。

边币"光华票"

1937年9月6日,成立陕甘宁边区政府,国共合作,共同抗日,边区政府领导的八路军军饷,由国民政府发给元以上的整币。当时边区政府辖区辅币缺乏,为了发展边区贸易的需要,陕甘宁、晋察冀等边区银行,于1938年以"延安光华商店代价券"的名义发行面值一分、二分的辅币。以后逐渐增发行面值五分、一角、二角、五角、七角五分等辅币,俗称"光华票"。这些辅币在当时起着本位币的作用。

商业"流通券"

"皖南事变"后,陕甘宁边区银行从1941年3月18日起,发行面值一角、二角、五元、十元、二十元五种纸币。1944年,以"陕甘宁边区贸易公司商业流通券"的名义,发行面值一百元、二百元、五百元流通券及五百元、一万元、五万元的纸币。规定以新币一比二兑换陕甘宁边区发行的旧币。当时由于革命斗争策略的需要,故用光华商店和贸易公司的名义发行。

宣侠父题照诗

袁第锐

自古有言者未必有行，有行者未必有言。既有慷慨之节，复有瑰丽之辞者，尤为难得。浙江诸暨宣侠父(1899—1938)烈士殆其人乎？烈士黄埔一期毕业，中共早期党员，1925年任冯玉祥部第二师政治部主任。蒋冯合流以后，在沪参加左联，创办湖风书店，发行左联机关刊物《北斗》及《文学导报》。1930年写成《西北远征记》一书，由北新书局出版。1932年又参加冯玉祥所组织的抗日同盟军，任吉鸿昌部政治部主任。1937年任十八集团军西安八路军办事处少将参议。因坚决与敌斗争，遭反动派之忌，于1938年7月31日在西安被绑架杀害，沉尸于西安下马陵(俗称蛤蟆陵)枯井下，年仅三十九岁。烈士1926年曾以国民党左派身份，在兰州主持甘肃省党务整理委员会工作。尝于五泉山红泥沟摄影留念。并自题七言绝句云："空留一爪志鸿泥，二十八年梦已迷。此影是谁还是我，糊涂了也不须题。"此诗看似朦胧虚无，且与人以虚无之感，而观其此后行事，则知朦胧虚无两皆无据。盖烈士是时已矢志献身革命，乃将其成仁取义之慷慨襟怀发而为诗，大智大仁大勇大悲之伦也，乌可以常理

论之哉！孟子云："读其书而不知其人可乎？是以论其世也。"吾于宣侠父烈士之诗而益信焉！

张炯奎咏红军诗

袁第锐

甘肃宕昌(原属岷县)哈达铺有老人张炯奎，清末秀才，隐于医，能诗画。1935年红军过哈达铺时，老人误听宣传，携家远遁。比返，方知事实皆非。乃深悔耗资损神，徒为之远避。因有诗纪其事云："仓皇无计欲何之，正是闻风落胆时，只道伤残同列寇，那知仁义胜王师。人言戮掠皆虚妄，自悔潜逃反失资。瞥眼雷霆惊震后，听来一路赞扬辞。"诗中列寇即众寇，指旧之土匪而言，末句乃言虚惊之句，复听群众对于红军事迹之歌颂。乃以诗纪其实事，至今妇老犹能言之历历者也。当日之误信反动宣传者，读此诗应有同感。老人此诗，实言群众之心声，故弥足珍贵。今老人已逝世，其诗固当不朽，因志之。

续范亭《黄河桥口占》诗

赵世英

续范亭(1893—1947),山西崞县(今原平)人。同盟会员，由卓越的民主革命战士转变为共产主义者。逝世后，中共中央追认为正式党员。1932年任邓宝珊将军西安绥靖公署驻甘肃行署和新一军总参议。1935年,国民政府任命朱绍良为甘肃省政府主席,罗贡华为民政厅长,马志超为省会公安局长,一时反共特务分子麇聚兰州,积极谋划反共及吞并杨虎城将军的西北军。续范亭对此十分痛恨,挥笔写下《黄河桥口占》一诗云：

猪羊骡马会兰州,吃得山空水断流。
桥上行人频拍马,河边舟子善吹牛。
八年战乱民心丧,四省沦陷国势蹙。
山河破碎家安在,我问将军羞不羞。

诗中"桥上行人","河边舟子"指国民党吹牛拍马之辈。"桥"指兰州中山铁桥。"八年战乱"指国民党围剿堵截红军及军阀内战。"四省沦陷"指1931年"九·一八"东北四省被日寇侵占。

以“共产”命名的孩子

石 寅

1935年9月5日，中国工农红军一方面军一军团走过雪山草地，从四川西北部到达甘肃俄界(今迭部县高吉村)，沿白龙江河谷而下。这里是藏民区，山高、沟深、流急，到处有原始森林。部队在麻牙寺一带曾稍事休息。

当时，麻牙寺附近村庄，疾病很多。藏民认为病源于鬼。于是，有钱人生病，就请喇嘛念咒“驱鬼”；赤贫人家生病，就把病人送到深山老林人迹罕至的地方去“躲鬼”。

红军未来之前，人们风闻“共产”(按：那时人们把红军称共产)的威风：地方老财怕、官府头人怕、国民党军队也怕。红军到麻牙寺后，人们惊奇地发现：他们都年龄不大，身体不壮，病员不少，但不敬神、不信鬼，整天乐呵呵地给人们讲汉藏团结，讲北上抗日，连鬼神也似乎奈何他们不得。人们就由生而熟，由熟而亲，对红军产生了热爱之情。

红军走后，当地人为纪念红军，有的为出生的婴儿起名“共产”，一为吓鬼怪，二为保平安。渐渐地，以“共产”命名的孩子越来越多。为了便于分辨，就在“共产”之前冠以孩子的父名。在白色统治的年代里，许多地方闻“共产”色变，而这里“共产”却成了吉祥幸福的象征。这种习俗一直延至解放以后。

我所见到的李贞将军

胡希蕴

建国后第一批授衔的惟一女将军李贞(1908—1990)，湖南浏阳人。是我幼年的一位启蒙教育者。

1936年“西安事变”时，陕北红军曾进驻我的家乡——富平县庄里镇。首先到达的是贺龙、刘权、甘泗淇等将军。贺老总将甘泗淇、李贞夫妇介绍给我祖母相识。1937年4月10日，是我父亲胡景翼逝世十二周年，贺老总亲自主持纪念大会，并在会上号召铁血男儿报名参军，抗日卫国，青壮男儿纷纷响应，成立了著名的“富平师”。

大会之后，李贞因有任务要进西安城，就化装成学生模样，以我姑姑的身份与我祖母一同乘轿车进了西安，住在西仓我家中(今庙后街附近)，共住了三个星期，大多是晚上出去白天在家，也有时一两天不见她的面。那时我只是个小学生，不懂大人们的事，只是听大人的嘱咐，要我“保密”，并且不要打扰她。但李贞一有空隙就找我聊天，她对我从小失去父母十分同情，使我感到温暖，她还介绍她的穷苦身世，给我讲反围剿、长征等故事，使我懂得了许多道理。她那和蔼的面孔、敏锐的思路，使我终身不忘。

陕甘总督沈兆霖死于山洪

赵世英

沈兆霖，字朗亭，浙江钱塘(今杭州市)人，清道光十六年(1836)丙申科进士。选翰林院庶吉士，任编修，后任兵部尚书、军机大臣。同治元年(1862)正月，调任陕甘总督。

青海撒拉族人马尕三因民族纠纷，被清政府镇压而率众起义反清。沈兆霖亲往督阵镇压。同治元年七月七日约下午两三点钟，沈率部37人，由西宁返回兰州，行至平番(今甘肃永登县)通远驿捉岭村墩岭与王渠村交界处(二道岭沟)，忽遇狂风骤雨，山洪暴发，沈与37人，全被淹死。随身所带总督黄金印亦被冲没。水退后，其尸在庄浪河东岸的满城附近被发现，遍尸伤痕，泥沙包裹，冲洗始辨。《清史稿·沈兆霖传》记载："水退，得兆霖尸，犹端坐舆中。"所记非实，乃谀誉之辞。

事后，陕甘总督金印，被一牧童于淤泥中捡得，因不识何物，玩弄多日，后有人见而识之，才献交县衙，糊涂平番知县以迟献之罪，倒打了牧童四十大板。上解总督府，则赏牧童元宝一锭(五十两纹银)，奖其呈献之功。

沈被淹死后，平番知县害怕上级降罪，慌忙中集合绅士，呼吁百姓，到城内外的庙宇内，将玉皇大帝、城隍、山神、土地的泥塑像，用绳索捆绑起来，命兵丁用皮鞭抽打，责备神灵没有保佑"沈大人"之罪。不久，又在发现沈的尸体处(今满城北门附近)修庙一座，泥塑沈像，曰"沈公祠"。解放后被拆除。

最早来甘肃的俄国官员

张令瑄

清光绪元年(1875)，俄国军官索思诺福斯齐一行 5 人，来到兰州。这是最早到甘肃来的俄国官员。

在此以前，俄国于 1871 年出兵侵占了我新疆伊犁。1875年,英翻译官马嘉理在云南腾越开枪行凶,被当地人民打死。于是,英使威妥玛扬言英将调印度兵由缅甸入侵云南,并勾结俄军同时由伊犁东进。索思诺福斯齐在这个时候来甘,意欲何为,实在可疑。但时任陕甘总督、驻节兰州的左宗棠胸有成竹,有理有节地接待了他们。将他们"引居节署,间日一会食,推诚相与"。一次,筵席间左宗棠突然向他们询问:"外间传俄与英有约之事",索思诺福斯齐连忙加以否认。并解释说,俄国驻兵伊犁,是为了"防回侵害",一俟中国克复迪化(今乌鲁木齐)、玛纳斯,便将伊犁交还。左宗棠进一步询问他们的来意,他们说是打算从湖南运茶到古城(今新疆奇台)、迪化一带销售。左宗棠义正辞严地告诫说:"通商原可,而销售鸦片与传教两事断不能行。"索等唯唯。

索思诺福斯齐傲视中国,先是夸耀其精于地理学。左宗棠拿出《乾隆内府舆图》让他看,"索意嗒然,自此稀言地学矣"。索又夸耀俄国善于陆战、武器精良。左宗棠便让他们到赖长所主持的兰州制造局去参观。他们看到该局仿制的枪炮,其精良度与英、法相同;而创造的大洋枪、小轮炮和三脚劈山炮是外国所没有的。但他们又怀疑钢如此精莹,恐是采自国外。当告以确系自己炼制之后,他们"叹服同声,自此稀言枪炮矣"。

斯时,浩罕军官阿古柏入侵新疆,新疆大

乱，左宗棠在规划平复之事，军粮问题很大。索思诺福斯齐说俄国临近我新疆古城的地方“产粮甚多，驼只亦健”，连脚钱在内，包运至古城，“每百斤需银七两五钱”。左宗棠一算计，比从关内运粮合算，便与之签定合约，让他们于本年内运古城粮二百万斤，明年夏运足三百万斤。

索思诺福斯齐等在兰州停留一个月，表面活动就是这些。然而来者不善，索思诺福斯齐是入侵伊犁的俄国军官，他曾在吐尔扈特劫去佛像七十二尊，并到西宁等地刺探军情。这次一定有秘密使命。不过，由于左宗棠对付得当，他没有捞到什么，做成的粮食生意，也是两厢情愿的。

毓贤之死

箫　君

毓贤，字佐臣，满族镶黄旗人。清光绪年间，在其任山东、山西巡抚时，对义和团采取先是剿，后又变为抚的策略，与义和团一起，“扶清灭洋”。当八国联军攻陷北京后，列强胁迫清政府惩办“罪魁”时，毓贤则是被指名惩办者之一。清廷被迫无奈，竟将他摘除花翎顶戴革职，遣戍新疆军台效力。

光绪二十六年(1900)十二月，毓贤被谪赴新疆途中抵达兰州，住水北门街八旗会馆(今永昌路中学)。时侵略者继续施加压力，要求清政府“严惩祸首”。毓贤乃被指名者之一，慈禧太后为了巩固自己的统治地位，只得讨好侵略者，传旨将毓贤就地正法。时任甘肃按察使护理陕甘总督的何福堃奉旨后，初定于翌年(1901)农历正月初六日行刑。时兰州绅民以毓贤无罪问斩，深抱不平，乃纷纷贴出告白，哭声盈巷，请求清政府收回成命。何福堃见此，恐生变故，便提前于初四日半夜，在八旗会馆门前问斩。

毓贤得知自己将被处决时，毫无惧色，从容部署后事，购得棺木三具。且与亲朋相聚，为人题诗作字。初三，毓贤同皋兰进士黄毓麟到照相馆照相留念。临刑前，先令妻妾二人服鸦片从殉，并自撰挽联一副，云：

臣罪当诛，臣志无他，念小子生死光明，不似终沉三字狱；

君恩我负，君忧谁解？愿诸公斡旋补救，切须早慰两宫心。

毓贤在刑场上，先面北行三拜九叩礼，然后跪在红毡上，两旁铺放挽联，“面色不少变”，“并无须他人扶掖之事”，神色自若地引颈受戮。

“松泛”与“呻唤”

张令瑄

甘肃地方自昔所征收的田粮赋税，不敷支出甚远。明、清以来，政费开支常依赖东南各省“协饷”银补助，至清道光时，甘肃每年受协饷银四百七十万两。

清光绪十年(1884)十一月十六日，新疆划省后，左宗棠奏准清廷每年协饷四百万两，以二百四十万两拨付新疆；一百六十万两留给甘肃，财政开支岁有节余。至光绪三十一年(1905)三月，陕甘总督嵩蕃离任时，库存尚有二百余万两。

升允继任陕甘总督后，正值清廷开办“新政”，增置官署、设立学校机关甚多。建立各级审判厅、改置劝业道、劝业局厂、巡警道、警官学堂、警察训练所、法政学堂、洋务局、农商矿务总局、调查局、官报局、劝工局、自治筹备所、保甲局、物品陈列所、船政局、织呢局、织布厂、丝绸厂、栽绒厂、制革厂、玻璃厂、洋蜡胰子(肥皂)厂、铁器厂、油漆厂、石印局、窑街铜厂、河北铁厂及开办优级师范、初级师范、矿务、武备各学堂。又有绅民自动发起组织的总商会、总农会、教育公所等团体。一时增加官员二三百人，如劝业道彭英甲一身竟兼十余处总办之职，候补知府杨增新总兼数校之任。又加厂矿用高薪聘用外国工程技术人员和工匠,因此开支庞大,不一二年,省库告罄,各厂多不能自养,便先后倒闭。

当时兰州民谣有云:

走了个"松泛(嵩蕃)",来了个"呻唤(升允)"。

盖因嵩蕃性格保守,凡事以安定社会,维持现状为上,而升允急于事功,政令百出,民间烦其纷扰,故有此谚。

董福祥临终献饷银

甘　民

董福祥(1839—1908),字星五。是近代一位知名的战将。光绪二十六年(1900)由于他抗击八国联军,侵略军占领北京,迫使清廷谈判议和时,他是帝国主义者指名要杀的"要犯"之一。慈禧太后因担心激起西北民变,乃从宽给以革职处分。董福祥率亲兵三千人回到甘肃固原(今属宁夏),旋又移居宁夏金积堡,在马家滩垦荒屯田,收获甚丰,颇能自足自给。

董福祥因久经沙场,负伤多处,暮年身体渐弱。光绪三十三年(1907)冬,因偶感风寒,触动旧创,自知不起,即预先安排后事,嘱以俸银四十万两,捐献国库。对人说:"吾闻之,子孙贤而多

财，则损其智；愚而多财，则益其过。吾俸所盈余约四十万两，悉举以助帑。毋违吾言。子孙自食其力可耳。”(王学伊：《董少保墓铭》)

这笔四十万两纹银的巨款，并全非他个人的俸银，而是三千将士历年饷银，存于陕甘总督署未领。据说在他逝世前一年，他曾到兰州总督署进行结算。

董福祥是毛井人，毛井原属固原，现为甘肃环县的一个乡。

潘龄皋在甘肃

师　纶

潘龄皋，河北省安新县人，清光绪乙未科(1895)进士，供职于翰林院，颇负文名。因院内新老矛盾，提前散馆，外放为甘肃隆德知县，心中郁闷。一次抓得盗贼，审案中拷打，贼连喊冤枉，潘大怒：“你冤枉，难道我不冤枉？我以翰林身份分发到偏僻小县，怎不冤枉！给我着实再打！”辛亥革命后，曾任安肃道尹，但思想守旧，专重礼教。大凡见妇女装扮后立于门前者，路有年龄相仿之男女同行者，即令左右责打；见有妇女以假发梳高髻者，辄令撕下，弃假发于地。时妇女多着黑色衣裙，一次去兰州五泉山，见一妇女身着淡色衣裙，由一男子相扶，方下打令时，询知乃儿子搀扶母亲，转嗔为喜，许为孝子，赏赐银两而去。盖潘为近视，远处只见男女，不辨年龄。因近视而出的笑话不少。

潘之后离开甘肃。1920 年 12 月甘督张广建离任后，陆洪涛继任甘督，陆企图总揽全省军政大权，但北洋政府推行军政分治。遂命潘龄皋以禁烟大员名义二次入甘。1921 年 10 月北洋政府任命潘为甘肃省省长。陆洪涛心有未甘，又因潘任省长后，犹持昔年官僚作风，历时不久，渐与省议员不睦。陆洪涛乘机鼓动学生驱潘。省议会对潘发难，屡向北洋政府告潘，甚至决议停会一年，以示拒潘。兰州各公团曾召开驱潘大会。潘亦几次提出辞职。

1922 年 7 月北洋政府以潘“人地不宜”遂免其职。而议长杨思旋亦改任兰山道尹。时人谓之“潘杨之争”。

其实，潘龄皋虽无政绩可述，亦无劣绩。诗书根底甚厚，寸楷行书尤佳，称誉于世，在甘所留墨迹甚多。

在“三一八”死难的甘肃人

张忠诲

李闽学(1907—1926)字振南，甘肃武威六坝人。曾就学于上海教会学校汇文中学。“五卅惨案”后，他认清了帝国主义者的凶残面目，断然退出汇文中学，参加了中国社会主义青年团组织的“反基督教大同盟”，并在临夏人、“朝阳大学”学生、共产党员胡廷珍的影响下，接近革命。

1926年3月18日，北京五千多学生在李大钊等率领下，在天安门集会抗议日本帝国主义3月12日制造的“大沽口事件”。并有二千多人的请愿团向铁狮子胡同段祺瑞政府进发。时闽学走在队伍最前列，异常积极勇敢。段祺瑞下令开枪屠杀请愿学生，闽学中弹牺牲。死时手中还握着“拒绝八国通牒，捍卫国家主权”的标语。

北伐成功后，国民政府明令公葬“三一八”死难烈士，并于1929年春在圆明园修建“烈士纪念塔”，甘肃省政府也追认李闽学为革命烈士。

烈士五弟李新学是武威地下党负责人，解放后任武威第一任县长，其他亲属也有多人早期参加革命和共产党，人称李家“一门革命”。

“金银路”与“活军路”

戴笠人

甘肃华亭县西华山有座孤山名尖孤山，长约二里许，宽半之，形似一只孤舟搁浅在大平滩里。惟东西两头有两条小路可通山顶。东路口叫

"金银路",西路口叫"活军路"。说起这两条路口的来历,却有一桩可歌可泣的故事。

1886年,西北回族反清义军领袖马化龙兵败董志塬,退到华亭县欲进关山坚守,不幸被清军左宗棠部围困在尖孤山七昼夜,内无粮草,外无救兵,军卒无水,连马尿、马血都饮完了。九死一生之际,马化龙心生一计,将所有的金银铜钱每隔一个时辰向东路抛撒一次,清军官兵为了抢金银钱钞,一齐涌向东路口,放松了西路阻围。义军当夜五更发起猛攻,从西路口突围而出,进了关山老林,取道化平(今泾源)回到金积堡老营。从此东路口被当地农民称为"金银路";西路口叫"活军路"。

张勋复辟之际的兰州

1917年7月1日,号称"辫帅"的军阀张勋等拥戴废清宣统帝(溥仪)复辟。消息传到兰州后,封建官僚余孽,立即沉渣泛起。以甘肃省长兼督军张广建为首的军政官员,用四六文体的电文呈表进贺拥戴。同时陈设专为庆贺皇帝复位的"万寿宫"(在今兰州市政协驻地),预备朝贺。并令警察通知机关、学校、商号等各界,届时须一律取消中华民国的五色国旗,改挂清朝龙旗。要求文武官员按清朝的官位品级改换官服顶戴。一时兰州前清遗老遗少,眉飞色舞,得意忘形,以为又可重续黄粱,丑态百出。许多人居然身穿蟒袍补服,头戴红缨花翎,腰系玉带,足登朝靴,脑后吊着一条长辫子,耀武扬威,招摇过市,前往万寿宫,面北行三拜九叩大礼。清朝官服上用的珊瑚顶子,变成古董铺里的"时新"缺货,不问售价,抢购一空。巡按使仓促间不惜重金托人买得一个,又以官品不符,不能戴用。清朝的平金蟒袍,古董铺亦属缺货。一些复辟心切的废清官员,竟雇请画匠星夜按图描绘衣冠。甚至有以纸描绘充真者。

正当群魔乱舞,称庆复辟时,12 日,段祺瑞的"讨逆军"进入北京,张勋避入荷兰使馆,复辟丑剧告吹。兰州的这场闹剧,也草草收场。

邓宝珊与蒙族老人

石佩久

1917 年初冬的傍晚, 在伊克昭盟南部毛乌素大沙漠北沿的伊金霍洛附近, 一个五十岁左右的蒙古族牧人, 看到沙坡下睡着一个面色黑红、浓眉阔面的青年。他便把青年唤醒。这位青年连忙站起来欠身道:"我是由包头赶往榆林的,走了一天多,水壶也喝空了,饥渴困倦,就躺下休息,不料睡到这个时候,多谢您把我叫醒。”牧人不懂他的汉话,便扬手指指太阳,然后把手掌往下一按,又指着前面的大沙漠,往地上划了好几个圈。意思是太阳快落地了,前边的沙漠你走不过去了,夜间过沙漠的生人,往往迷路“转脖子”(即绕着一个沙丘转圈子,走不出去)。

青年理解不了牧人的意思,不知如何回答。牧人便邀他进了自己的蒙古毡包, 牧人妻子端来炒米、酥油和老丹(一种奶制品),青年觉得从来没有吃过这样香的饭。饱餐之后,就安睡了。次晨起来,牧人拿出一双哈登(短筒毡靴),又往干粮袋里装了半袋炒米,水壶中装满了开水,向南边沙漠一指说:“阿毛三雅步。” 意思是你好走。青年带着感激之情,迈步向南走去。

这位青年就是邓宝珊。这年 7 月,孙中山号召护法,陕西革命人士酝酿“反段(祺瑞)倒陈(树藩)”。胡景翼密召避难大名的邓宝珊。为了确保安全,叫他乘京绥路火车到包头,再经伊盟、陕北井岳秀的防区到三原,共商大计。邓经过一月多的跋涉,川资用尽,困乏已极,遂有此遇。

二十年后的 1938 年初夏, 邓宝珊总军榆林, 去伊金霍洛迁移成吉思汗灵榇于甘肃兴隆山时,他凭着记忆,奔走了很多沙丘,最后终于找到了这位年已七旬的老牧人,酬以法币千元,还有毛毯及糖茶烟酒等蒙族牧人喜爱的食品。

俄将阿年科夫

师　侃

由于沙俄将军阿年科夫等在迁居甘肃敦煌千佛洞后对古文物的破坏行为，引起了当地群众的愤怒和告发。甘肃督军陆洪涛遂于1922年9月，命令将他们送到兰州，安置于皋兰县阿干镇羊寨村山区居住，使之少与外界接触，免生是非。起初阿年科夫仍桀骜不驯，每日驰马射猎于附近山林；且与其旧部秘密通讯联络，妄图有朝一日东山再起，恢复沙俄统治。当时苏联政府曾要求中国将其引渡回苏，北洋政府一直推托未办。久之，阿年科夫遂日渐沉溺于酒色，并染上吸食鸦片恶习，镇日足不出户，萎靡颓废。至1927年国民军刘郁芬主甘时，外交部再次转来苏联政府公函，要求将阿年科夫引渡回苏，刘遂令其回国。

阿年科夫临行前，自知回苏后因民愤甚大，难免一死，遂将其心爱之物——望远镜、手枪、坐骑进行处理。望远镜赠与刘郁芬，手枪赠与刘之某团长，坐骑则自行枪杀后，埋于兰州西郊小西湖，并痛哭一场而去。

阿之部属一百余人，甘肃当局将其大部送往天津、上海。他们或流落定居，或联系回国。部

分留兰者，当时称之为“归化族”，俗称“白俄”，多以出卖劳力，粉刷墙壁，裱糊顶棚为生。1949年后改称“俄罗斯族”，后大多与华人通婚，今已三四代人，其姓名、语言及生活习惯已与中国人无多大差异。

周希武遇害莲花台

赵宗福

1927年7月下旬，时任甘肃宁海镇守使署总务处处长的周希武与青海名士朱锦屏奉命赴省垣兰州，拟与国民军谈判，其时正值冯玉祥部进驻甘肃，连剪陇上诸镇军阀。宁海镇守使马麒举棋不定，其部下顽固派力主坚拒国民军入青，而以周希武、朱锦屏为首的进步人士则劝马欢迎国民军。进退维谷的马麒遂派周、朱赴兰谈判。25日，当周、朱二人行至距西宁七十里之老鸦峡莲花台时，突然被马麒部下顽固派派人行刺，枪声四起，周希武中弹遇难，朱锦屏亦惨死。噩耗传到西宁，各界悲愤。西宁各界举行了隆重的追悼会。

周希武(1885—1927)，字子扬，甘肃天水人。民国初年，随周务学勘查玉树地区，写成名作《玉树调查记》(一名《玉树县志稿》)，数十年来一版再版，深得国内外学术界好评。其他著作尚有

多种,亦为西北学人所珍视。周多才敏思,擅长诗文,与甘青文化界人士交往甚广。1924年,与镇原慕寿祺(少堂)再次会面于兰州,慕作《与周子扬重遇于金城》七律四首云:"学士文章苏玉局,将军辅弼赵营平。湟中续上屯田策,降虏都安畎亩耕。"寄予很高希望。后天水冯国瑞路经莲花台时作诗道:"老鸦城下冤魂语,白马滩前石乱飞。一百里间还往路,思君几度泪沾衣。"寓意深远,读之凄然。西宁百姓创作了一首"花儿"唱道:"朱锦屏死在莲花台,周子扬作了个伴儿;国民军传言上不来,孽障(可怜)死青海的汉儿!"痛切思念之情,溢于言表。

1930年5月27日,周希武遇难后三年,西宁各界复举行营葬仪式,墓在西宁西山湾。时任青海省政府主席的马麟不仅参加了仪式,还作了一篇《甘肃青海护军使署总务处长周君子扬墓表》,刻立墓碑上。

冯玉祥在平凉的一场虚惊

曹 恭

1926年9月15日,冯玉祥五原誓师后,就任国民革命军西北军联军总司令。翌年4月,冯经宁夏银川、灵武、中宁、同心,甘肃固原,向陇东进发,到平凉是晚上九时左右。入城时,由其部驻平凉的师长孙良诚、团长梁冠英等护卫。刚入西门之际，突然轰隆一声，尘雾笼罩天空，一段城墙塌陷。孙、梁惊恐万状，面面相觑。护冯官兵，乱作一团，惊慌失措，不知何故？事后调查，原来是陇东镇守使张兆钾在西城墙窑洞内所设枪械局贮存之火药库，被一乞丐在洞前生火造饭所引发，乞丐已粉身碎骨。但冯总司令却受了一场虚惊。这在当时是平凉的一条“爆炸性”新闻。

牛载坤血洒哈家嘴

赵智远

1934年6月5日凌晨四时许，时任甘肃省民勤县县长牛载坤，由武威乘车途经永登县境哈家嘴枇杷台岘时，突然遭到追踪而来的歹徒狙击，牛县长身中四弹而毙命，时年四十八岁。

牛载坤(1886—1934)，字厚泽，原籍甘肃临洮县八松庄(今属康乐县)人，北京京师测绘学堂毕业。期间，他多方接受新思想，向往民主，立志振兴教育，创办实业。在1916年任甘肃省教育会会长时，创办了不少学校。后又东渡日本，学习纺织。回国后在兰州兴办“手工业传习所”，继左宗棠后重振甘肃毛纺织呢工业。

1933年，牛载坤在任民勤县县长期间，积极开办学校,兴修水利,植树造林,防沙固田,放粮赈灾,发展生产,倡导妇女放足,学习纺织。清正廉明,政绩卓著,深受当地民众爱戴。

1934年春,骑兵第五军马步青部驻民勤的马营长,向县府索要马车二百辆,民夫数百人支应军差。时值春耕季节,牛县长体恤民情,拒绝派差。而马部兵丁威迫他到团部去“谈判”。牛被裹胁,行至县城大什字,他突然脱帽掷地,席地而坐,高声抗辩说:“今日宁死于此地,绝不强派百姓车马、民夫,要派就把我乘的马车拉去!”一时群众蜂拥而至,替父母官解围,愤愤不平之声四起,马营长慑于众怒难犯,便怀恨而去。事后,驻河西骑五军军长马步青得知牛载坤违抗其命,便怀恨在心。

同年夏,牛载坤晋省述职,并返籍安葬先君。因马步青部属从中作梗,买不到汽车票,等了几天,他在武威竟不得已,遂雇马车起程。6月6日行至永登哈家嘴枇杷台岘,便发生了这场预谋的凶杀事件。

至今永登哈家嘴八十岁左右老人,对此惨案尚记忆犹新。八十二岁的尹新俊,亲见牛县长遗体挺放在路旁,血迹斑斑,惨不忍睹,夜里才用汽车拉走。次日,从红城子来了马家军数人,自称“奉命办牛案”,枉加当地村长尹永福不及时报告之罪,并将他抓去关押于红城子军营。经家人花钱托情,月余后始赎回。

牛载坤遗体运至兰州,厝于荣光寺,以邓宝

珊为首的省城数千人士前往悼念。挽联有“廉吏可为不可为”之句。牛被害的消息传到民勤，当地民众悲愤异常，恸哭失声。后在牛县长“抗马掷冠”处修建牌坊一座，上书“甘棠遗爱”，以志纪念。

“西安事变”前夕的平凉秘会

丛　丹

1936 年 12 月 12 日“西安事变”之前，张学良和杨虎城曾在平凉开过一次会议。

11 月下旬，张学良将军乘坐飞机抵兰州又转平凉。其所以在平凉开会，是因为王以哲部正驻在平凉，张学良以“督剿”红军的名义，理所当然要到平凉，这样可以掩饰谏蒋计划。如果在西安或在兰州开会，不仅易被蒋系特务侦知，又不能把胡宗南嫡系晏道刚等人拒之于会外。

平凉会议极其保密。参加会议的除张学良将军以及东北军将领于学忠、王以哲、高福源、唐君尧等几位心腹外，西北军只有十七路军的杨虎城将军一人。连张学良的随从副官都没让参加。会议的守卫工作由“替死鬼”王政负责(王政，十几岁就参加东北军，他的外貌同张学良极为相似，经常装扮成张学良外出，故被人戏称为“替死鬼”)。

在会上，张学良说他一个多月没到班，实在是由于内心不愿意“剿共”，并说：“我同蒋委员长政治意见上的冲突，到最近阶段已经无法化解，谁也不可能放弃自己的主张。于是我决定在三个办法中选一个：第一，和蒋委员长告别，我自己辞去职务走开；第二，对蒋委员长用口头作最后的诤谏，希望蒋委员长能够改变他的主张；第三，蒋委员长若还拒绝，不得已实行兵谏。采取第一种办法，对我个人没有什么，我一点不在乎；第二种办法，是我最近一个月来已采取的行动，在实行过程中，我是用尽心机，也可说舌干唇燥。也曾去洛阳两次，有一次为表明心迹是单身去的。可惜，因为蒋委员长火气太盛，听不进去，况且我的嘴太笨，总未能尽其词。……第一、第二两种办法都不通，只好采第三种办法。”

与会的人听完张学良将军讲话后，分析研究，一致同意张的兵谏主张。因此，平凉秘密会议，可看成“双十二”西安事变的初步准备。

甘、宁、青划省内幕

春　浦

1925年8月24日，北京政府段祺瑞任命冯玉祥督办甘肃军务善后事宜、仍兼任西北边防督办。10月初，冯派其部第二师师长刘郁芬代理甘肃督办职率部抵兰。12月13日，刘在兰诱杀甘肃陆军第一师师长李长清及旅长包玉祥，并吞其部为己有，控制兰州局势。继而剪除甘肃地方武装势力，统一全省。1927年6月25日，开封政治会议(冯玉祥任主席)决议，成立甘肃省政府，以刘郁芬为主席。

当时国民政府为限制地方军阀割据势力，规定每省驻军只限一个军，且对官兵员额、武器、马匹编制限额极严。时冯玉祥为国民革命军第二集团军总司令，驻军陕、甘。受缩编军令后，以先发制人之策，藉自任开封政治分会主席之权，于1928年11月11日，划甘肃省之宁夏行政区所辖8县及阿拉善、额济纳两蒙古旗设立宁夏省，任所部军长门致中为宁夏省政府主席。同年12月15日，又划甘肃之西宁行政区所辖七县、二设置局及青海蒙古族各旗、藏族各部设立青海省，以所部军长孙连仲为青海省政府主席。由此冯保住了三个军的实力。蒋介石见生米已成熟饭，又慑于冯在西北的势力，为笼络冯就范，只好承认划省事实。

牟县长儆世投河

张忠诲　张尚瀛

牟凤鸣(1889—1935),字仲阳,号佛眼。甘肃陇西县城人。保定高等师范毕业,曾任甘肃省立第一中学、第五师范学校校长、陇南镇守使署秘书长等职,1926年北伐中,投笔从戎,在冯玉祥部工作。后为宁夏宁朔县代理县长。

"九·一八"事变发生后,牟愤慨之极,常朗吟岳飞《满江红》词,同事为之感动。又因不能忍受日本帝国主义侵华暴行,曾奋笔而书"国难急如星火,人心昏昧无知,瞻念民族前途,诚堪令人痛哭"条幅,以示抗议。并到街头演说、宣传抗日。牟与灵武县县长赵惠民过从甚密,赵求他给县府大堂、二堂写楹联两副,牟欣然执笔书写,楹联之一为:"想升官发财为自己求快乐的滚出去;能吃苦耐劳替人民谋利益者请进来。"横额:"铲除官僚习气。"楹联之二是:"要遵国法要讲公理那管他毁誉褒贬;不看人情不存私心只问你曲直是非。"横额是"提起革命精神"。

牟著有《吟啸房诗草》,中多存有铭刻肺腑之言。慨于世习痼积,政府腐败,加之"天祸西北,灾祲频仍,死亡枕藉于原野,孤寒辗转于沟壑,易子而食,触目皆是,流离惨状,楮墨难宣"。

奈宁夏省主席马鸿逵为扩充势力，派粮抓兵，牟不忍为军阀作伥，苦害人民，遂生以死儆世之念。1935年6月25日下午三时，在县府附近黄渠投水。时勤务员王守贤相随，鸣枪告警，惊动民众得以抢救脱险。送省府将养，深恐获罪马鸿逵，终难逃生，又于7月2日上午十时回县时，再次跳进本县龙王庙附近的黄河而死，年仅四十六岁。

牟死后发现留有绝命词曰："日侵华北，亡国之祸迫在眉睫，鸣不忍视吾黄帝子孙沦为他人之奴隶牛马，甘愿投河殉国，唤醒国人。宁为刀头鬼，勿为亡国奴，庶有力图挽救收复山河之一日。"

邓宝珊有儒将风范

王焕文

邓宝珊先生虽是军人，但对诗文、字画、古玩都很爱好。对历史上许多名家书法、绘画的赏鉴有独到见解，他自己也写得一手秀丽潇洒的毛笔字。他还重视历史文献，每到一处，总要借阅当地志书。他还收藏了嵩山、汝州、洛阳、登封、卫辉、怀庆、新安、鄱阳、郧阳、新德、横山、武功、绥德、保德、神木、府谷、米脂、肤施(即延安)、中部、华岳、乾州、沔县、伏羌、皋兰、狄道州、秦

州、渭源、镇原、成县、泾川、崆峒等州、县的志书。还有傅青主年谱和其他诗文共数百册，均于1966年12月6日捐赠甘肃省图书馆。1960年1月8日，还曾将一尊北周武帝天和四年(569)石造像捐赠甘肃省博物馆。

他结识了不少有名的画家，如齐白石、陈半丁、董寿平、吴作人、李可染等。1949年北平和平解放前后，邓在北平住了一年，常去齐白石家，齐有时当场挥毫作画相赠。邓去齐家，白石先生常亲自打开柜子取出点心和水果招待，这在齐先生与人交往中是破格的。邓也常约齐先生一起到小饭馆如曲园、好好酒家等处小酌。

邓有一把梅兰芳作画、齐白石题款、陈半丁书写的折扇，融三位大家的作品于一体，堪称一绝。

邓先生收藏的名字画中，有郑板桥的竹子，于右任的中堂，章太炎的对联，茹欲立的条幅等。仅齐白石的画就有几十幅。

程秉钧献裘被罢官

王克江

福建朱绍良，字益民，毕业于日本士官学校，回国后担任军政要职。抗日战争中，为第八战区司令长官兼甘肃省政府主席，老于官场。

1933 年任甘肃省政府主席兼民政厅长时，有庄浪县人程秉钧(字子平)，行伍出身，年约三十余，为人忠实可靠，以军功为某师长赏识，于 1932 年推荐给前任主席邵力子任命为海原县县长。程到任后未改本行，每日跨马城郊，射枪习武，政务委诸幕僚办理，自己多不过问。如此日复一日，既无政绩，亦无劣迹。全县绅民亦感“无福无祸”，尚能平安度日。他的部下深知他系武人从政，才具有限，又无牢靠后台，在省主席已易人的情况下，恐难长久蝉联。于是出谋献计，促其晋省以厚礼奉献上级，以固官位。程自知言拙貌寝，恐稍不慎，丢官受斥，不愿亲往。苦思良久，遂生一计，便将一件黑色羔裘包装投邮，上书“甘肃省政府主席朱亲收”，下书“海原县政府寄”。自以为我知他知，万全之策。邮件发出次日，适友好来访，伊便倾吐实情，友人说：“糟了，阁下真是有猪头，不知庙门。赶快准备交代，回家务农。”不数日，果然原件寄回，接着省令亦到：“代理海原县长程秉钧，自到任以来，庸碌无能，应予免职。”

行踪诡秘的戴笠

张忠诲

1944年春，国民政府军统局局长戴笠将赴西北区视察并主持“兰训班”毕业典礼。行前，从重庆给兰州特训班副主任(主任戴笠自兼)胡国振发来“十万火急”的电报，通知到兰日期。但胡连续两次接电去迎接，均扑了空。3月20日深夜十二时，胡又接到戴的第三次“绝密”电报云：“兰州孙启疆兄你班第四期学员已经训练期满我定于当日乘班机赴兰主持毕业典礼并视察西北区工作弟马健行。”

电报里的孙启疆是“兰训班”的化名。戴笠一贯把军统局自诩为“革命大家庭”，把军统局局本部化名为“赵振家”。“赵”字在《百家姓》里是第一个字，代表“天下第一家”。至于“振家”者，不外是振兴军统之“家”。军统局办的特训班，第一个是设在湖南临澧县的“临训班”；第二个是设在贵州黔阳县的“黔训班”；设在贵州省息烽的“息训班”与设在甘肃省兰州的“兰训班”，两个开办不分先后，同居于第三，所以化名“孙启疆”，取“孙”字，便是排行老三之意。

戴笠在电报里把自己的名字化成“马健行”，“马”者乃千里良驹也。他是愿为蒋介石竭尽犬马之劳的。此外,还含有"天马行空",非同凡物之意。

一封电报要了这么多花招,直到拍发了第四封电报,即 3 月 27 日,他才到达兰州。那天,胡国振等迎候在机场,机上的乘客都下完了,仍不见戴笠,正悻悻然欲离开机场时,突然有个大胡子老头,在胡国振背上拍了一下。只见那人身穿轻裘长袍,罩着一件深蓝色长衫,黑马褂套在外面,头上戴着一顶瓦灰色礼帽,颈上围着一条深色驼绒项巾,脚登一双黑色圆口绒鞋,腋下夹着一个黑色皮包,俨然是一个商业大亨——他就是戴笠。

苏联空军战士血洒兰州

尚　瑛

抗日战争时期,苏联在向中国支援军用物资的同时,还选派了空军战士组成援华航空志愿队(驱逐机)和援华航空运输志愿队(运输机),在兰州配合中国空军直接对日寇作战。

1937 年 10 月 25 日,第一批苏联轻型轰炸机十架抵兰,至 11 月 7 日共到兰州飞机五十余架,志愿航空人员一百五十多人,除十余架留兰外,其余分转各战区,为了便于指挥,苏联在兰设立商务代办处(实际办理援华军事、外交事宜)

及空军招待所。

自 1937 年至 1941 年，苏空军与我国空军和地面高射炮大力配合，“以萌芽之力，当敌十倍”，“与倭寇百余战”。在兰州上空共击落日机二十六架，击伤一架。这批参战苏军志愿航空战士，直至 1941 年德寇逼近莫斯科时，为捍卫祖国，始陆续回国。

为保卫兰州上空，有些苏联志愿队战士壮烈牺牲。如司切帕诺夫、雅士古力芝、波拉技诺夫、马特、伊萨耶夫。他们和其他不知名的战士们，壮烈捐躯，血洒兰州。

马永盛与护国员外郎

李万禄

清代甘肃镇番(今民勤县)马氏,祖籍陕西,因家境贫寒,以卖油为生。积蓄了一笔钱财,便设私塾、办教育。聘用省试落第的秀才为其经营商业,开办茶庄。马家茶叶,行销西北、华北各地。北京、西安、兰州、湖南安化、陕西泾阳等地均设有茶庄和货栈。在西安的盐店巷、泾阳的东门内外,都建有豪华的庭院。号称"马百万"。因先祖卖油而发迹,为不忘其本之意,在马家祠堂里珍藏着卖油使用的木杠子,民间又称为"马杠子家"。

明末清初,马氏迁居甘肃镇番落籍。镇番地处荒漠,草原丰盛,是饲养骆驼的天然牧场,马氏即大量饲养骆驼。久之,仅稀有珍兽白骆驼就拥有三百余峰。每逢清王朝盛庆大典时,镇番马家必向朝廷进贡白骆驼,一贡九峰为最佳。

清雍正初年,青海的罗卜藏丹津,起兵反清,欲谋独立。雍正皇帝授命川督年羹尧为抚远大将军,进驻西宁讨伐。年羹尧在平定青海时,镇番马家曾自告奋勇以驼队为军运输,立有功劳。年羹尧在受爵时,亦将马氏功绩,奏明清政府,雍正皇帝御赐马氏"永盛"二字,以勉励其茶商永盛不衰。到清朝中叶,马氏子孙繁衍,各立支派,为保声誉,茶庄合作,改"马永盛"为"马合盛",注册商标为"大引商人马合盛"字样。后又分为"合盛东"、"合盛西"、"合盛谦"三庄,但茶引字样不变。

清光绪二十六年(1900)八月十四日,八国联军入侵中国,攻陷清王朝首都北京,慈禧太后挟光绪皇帝仓皇西逃。在清廷处于危急时,马合盛驻北京的东家马香亭,捐白银十万两、骆驼数百峰,保驾到西安。

光绪二十七年十月六日,慈禧太后回返北京,特封马香亭为护国员外郎,诰封"资政大夫"。马家即制此四字匾额悬于其镇番住宅门首。商务大臣张之洞也题辞祝贺马家功德。

马香亭,生二子,长名马同卿,次名马选生。皇帝又赐宫中二女与其兄弟联姻,镇番人由此传言，马永盛家娶了公主媳妇。

马永盛家为树立门阀望族之名，在镇番城西门外立碑八块，组成碑亭，将清雍正帝到光绪帝历代朝廷对马家的恩施和祖先的业绩记述下来，传于后世。

解放后，马永盛家所享受的二百余年封建王朝赐封的殊荣也随之消亡，但马永盛饲养的骆驼，经营的茶业和爱国图强的行为，却仍然为人们经常议论的话题。

曾国荃厚赠朱克敬

朱据之

朱克敬(1792—1887)，字香孙，甘肃兰州人，与兄克敏同为晚清陇上名儒。克敬以微官流寓湖南，与湘人王闿运、郭嵩焘等名流吟咏酬唱，一时传为佳话。岁暮贫甚，榜诗于门曰：

椒零落菊花残，从古潇湘作客难。
连日市门三尺雪，更无人记问袁安。

时曾国荃家居，闻之，叹曰："文人至此，我辈之责也。"急造访，厚赠以钱。至除夕复榜门曰：

美酒笙歌饯岁时，蓬门苔瘦得春迟。
苍生莫问安危局，我且无聊尔可知。

有以告巡抚者，巡抚怒将逐之。有解之者曰："名士狂态固尔；不足责。"巡抚笑曰："名士名士，能

辟谷耶?"克敬闻之又为诗曰:

名士原无辟谷方,贵人休替达人忙。
冰山我有天公在,胜似人家沈部郎。

倨傲之怀,其不可抑如此。克敬老年失明,自号瞑庵。将死自铭其墓曰:"生无补于时,死无闻于后,既盲而学无有,独以其盲不朽。"

克敬工书善画,擅诗词,且喜论时事,著有《瞑庵杂识》、《瞑庵二识》、《儒林琐记》、《雨窗消意录》、《瞑庵诗录》等。湖南岳麓书社1983年以《近代湘人笔记》丛刊出版。为解放后出版的第一部清代甘肃兰州人的著作。

万宝成选为鸣赞官

邓　明

清光绪三十四年(1908)十月二十日,慈禧太后病重,授醇亲王载沣为摄政王,次日,立载沣之子溥仪为嗣皇帝。二十二日、二十四日,光绪帝,慈禧相继病逝。定于十一月初九日举行宣统皇帝溥仪登极大典。对遴选大典鸣赞官(司仪官),颇费周章。因入选条件苛刻:一要进士以上出身的官员;二要名字吉祥;三要身材魁梧,仪表堂堂。

诸大臣经过反复酝酿,认为户部主事万宝成符合以上条件,遂被入选。万宝成,字玉田,号蕴初，甘肃会宁人，光绪三十年甲辰进士，曾留学日本研习法政。“万宝成”即“万成大宝”也。其名典出《周易》：“圣人之大宝曰位”，故“大宝”即指帝位，“万宝成”有帝位万年之吉祥含意。且万宝成身躯伟岸，浓眉朗目，声音宏亮。

十一月初九吉辰，摄政王抱溥仪御太和殿，万宝成肃立于丹墀，朗声鸣赞，百官跪拜如仪。溥仪在哭泣声中成礼，是为末代皇帝——宣统帝。

齐飞卿造反被害

李德文

齐飞卿(1868—1911)，本名振鹭，甘肃武威人。清末秀才，习武术，工于书画，尤以画梅、兰、菊、竹见长。他用的砚台名铜雀砚，据传是用三国时铜雀台上的石头雕刻，长八寸，宽六寸，上有一雀，俯瞰墨池。

齐飞卿为武威哥老会首，家道殷富，却仗义疏财。对清末贪官污吏的横征暴敛疾恶如仇。常与官府作对。亲友邻里求其字画者无有不允，官吏豪绅来求则闭门不纳。其堂弟齐振海，因生兔唇人称“豁子”，常勾结官府，横行乡里，聚敛财富，飞卿视为不齿。飞卿家有一辆马拉轿车，他便在一条新毡上画上齐振海的头像，铺到轿车下踩踏,以泄其忿。谁家娶媳妇嫁姑娘要借车,必须连毡借,用时也不许撤去,否则不借。家养一狗,从小就把狗的上唇割开,成了豁子嘴,见狗便叫:"豁子,来!"齐振海由是恨之日深,发誓要除掉堂兄。

清光绪三十四年(1908)八月十六日,齐飞卿与乡绅陆富基组织武威四乡六渠数千农民打毁警岗,攻入县衙,捣毁总警绅王佐才等人的房屋,要求减免税收。官署派军警镇压,捕杀为首者陆富基、于成林等,齐飞卿逃亡。宣统三年(1911)三月,齐飞卿再次组织农民暴动,失败。由其堂弟齐振海报官府被捕,同年十月十五日凌晨二时许被凉州府(今武威市)知府王步瀛杀害于武威城内大什字。

齐飞卿死后,家产被官府洗劫一空;但流散于民间的书画作品却被收藏者视作珍宝;有人将其事迹编成"凉州贤孝"《鞭杆记》,也叫《打警察》,到处传唱,至今不衰。

光绪皇帝保护安维峻

李鼎文

安维峻(1854—1925),字晓峰,甘肃秦安人。清光绪六年(1880)庚辰科进士,甲午年(1894)清廷对日战争失败,他当时任福建道监察御史,上书请杀“卖国强臣”李鸿章，并指责慈禧太后遇事牵制光绪皇帝。疏入，被革职，发往军台效力赎罪，一时轰动京师，称安为“陇上铁汉”。先父叔坚(于锴)先生当时在北京，曾作《送安晓峰先生出塞》七律四首相赠，并亲自送安先生到张家口；著名侠客“大刀王五”(王子斌)亦自告奋勇，随行保护。安维峻此次直言上书而幸免于杀身之祸，实由于光绪皇帝有意保护。

孙宝瑄《忘山庐日记》有关于此事的记载，光绪二十年十二月初二日记云：“晚间阅邸报，上谕：‘近因时事多艰，凡遇言官论奏，无不虚衷容纳，即或措词失当，亦不加以谴责。其有军国紧要事件，必仰承皇太后懿训遵行。此皆朕恪恭求治之诚心，天下臣民早应共谅。乃本日御史安维峻呈进封奏，托诸传闻，竟有皇太后遇事牵制，何以对祖宗天下之语，肆口妄言，毫无忌惮！若不严行惩办，恐开离间之阶端。安维峻着即革职，发往军台效力赎罪，以示儆戒。’”初五日记云：“新吾言：安晓峰事，天子实为援手。盖上见其奏大惊。急召见大臣，拟旨毕，始并其奏呈太后览。太后怒曰：‘即此足了事耶?毋乃已轻！’恭邸跪奏曰：‘本朝开国三百年，从未杀谏臣，乞太后原之。’太后意始为稍解。”这里的“新吾”，即两广总督李瀚章之子李经畬。李瀚章为李鸿章胞兄，与孙宝瑄皆系至亲。“恭邸”，即恭亲王奕䜣，他是道光帝第六子，光绪帝的伯父，当时任军机大臣。光绪帝保护安维峻一事，本在宫廷内

部进行,外人无从得知。但李经畬由于社会关系特殊,竟获悉事件内情,并透露给孙宝瑄,孙复写入日记,因此得以流传。

王树中维护主权尊严

杨兴茂

不愧为良有司,热血丹心,能使苍生呼父母;

毕竟是奇男子,空拳赤手,留得白水付儿孙。

这副对联是兰州人刘尔炘哀挽王树中病逝而作。上联是说他勤政爱民,有"王青天"之称;下联是说他为官清廉,身后家无长物。

王树中(1868—1916),字建侯,号百川,一号梅生,甘肃皋兰人。光绪甲午(1894)科进士,历任安徽太和知县、亳州知州、颍州知府,署江南乡试同考官,赏花翎二品顶戴。为官十余年,勤政廉洁、兴学劝农和赈灾治水,卓著政声。

王树中在太和当政,尤以不怕洋人,怒斥传教士一事为民所称道。一次,太和人李广栋与高大富因一项民事纠纷打官司。李广栋以其弟李广玉入耶稣教为护符,妄图仰仗洋人势力而胜诉。王树中审得广栋理屈词穷,判为败诉。但李广玉却不服判决,王树中怒而对他使用杖刑时,他公然宣称自己是教民，打不得，拒不受笞。教堂的传教士也闻讯赶来，出面偏袒李，威胁树中改判。王树中抱定宁可不要乌纱帽，也要为中国人伸张正义的决心。当堂斥责传教士无权干涉中国政府地方政事，依法痛打了李广玉。在办案时，衙门内外的差役、人犯、听众，以及堂后亲友等，“皆相顾失色”。有的作为天大新闻奔走相告，有的惊叹不已，为他谋划善后之策。而王不为众议所动。

事后，这位传教士因被当众羞辱，担心此后被中国人瞧不起，特来县府，委婉恳求王知县以礼待他，给他一个挽回面子的机会。王以国际礼遇相待，并晓以国家主权不容他人侵犯的国际法则，使传教士心服，在公开场合对自己在李案的态度表示歉意，并称道王知县是个贤能的官员。在半封建半殖民地的社会里，王的这种品格是很可贵的。

梅兰芳与甘肃人的交往

王惠科　尚　瑛

高阁千寻起，长廊四注连。
歌声上扇月，舞影入琴弦。
涧水流窗外，山花印眼前。
但愿长欢乐，从今看百年。

这首五言律诗，是京剧表演艺术大师梅兰芳先生于1957年应邀来甘参观演出时写的。他看到甘肃的社会主义建设蓬勃发展,异常兴奋,便给兰州饭店写了这首诗。兰州饭店将此珍品,镶嵌镜框，挂在他当年住宿过的中楼302房间里,供中外宾客欣赏。

梅兰芳和甘肃人的交往,由来已久,可以远溯到清末民初。当时他与甘肃人刘庆笃就结下了深厚的友谊。

刘庆笃(1870—1936),字吉甫,甘肃会宁人。清光绪二十年(1894)进士,因文章、诗赋、书法俱优,留军机处授军机章京。办内阁承宣厅事。八国联军侵占北京,慈禧挟光绪帝西逃时,刘扈驾有功,慈禧返京后,赐予二品衔顶戴。

刘庆笃对京剧非常爱好,且善演奏。在梅兰芳先生尚未知名时,刘即常与之交往,梅每一登台,刘必定座观赏,为之捧场。有时刘还为之操琴伴唱。梅之唱词有不协处,刘亦为之校正。久而久之,遂成为忘年交。

辛亥革命后刘庆笃归里时，梅为他治办行装。刘回甘后仍与梅书信往来。梅知刘生活清苦,多次汇款接济,刘均婉谢之。刘母逝世,梅致挽词哀悼,并寄银币二百元作为葬礼。后来,梅两次寄照片给刘,一为西装肖像,一为黛玉葬花剧照。刘为其剧照题“梅影词”一阙云:

九畹云界石根断,寥落西飞雁,臂破五华笺,镜里芙蓉,又识春风面。

月圆花好神仙眷，一枝春独占，莫使远天涯，小住蓬莱，犹近玉皇案。

1936年秋，刘病逝于兰州，梅兰芳先生曾发来唁电及奠仪。梅、刘之交，在甘肃传为美谈。

左宗棠赏识陈泰

邓　明

清光绪元年(1875)十月初七日为陕甘总督左宗棠六十四岁寿辰。兰州盐场堡居民捧着八扇屏寿序，挑着一担兰州特产冬果梨去总督署给左祝寿。

寿序为朱砂笺，红方格内恭书颜体正楷。左宗棠边看寿序，边掀髯而笑。堡民以为寿序中有毛病，忐忑不安。看毕，左问："谁写的?""禀爵相大人，是是……木塔寺陈泰师傅写，写的。"堡民回答。左即命戈什哈(即副官)请陈泰来见。

木塔寺(今兰州市木塔巷北端)僧人见官府气势汹汹地找陈泰，以为寿序有违碍语，急劝陈泰躲一躲。陈泰淡然一笑："若犯罪，例由皋兰县衙抓人，何劳督署戈什哈?"顷刻，戈什哈进入陈室，连呼："爵相有请陈泰先生！"因陈贫穷，衣襟褴褛，难登爵相大堂，寺僧连忙从沽衣铺赁来衣帽，陈泰换下破衣烂衫，焕然一新，随戈什哈入署。

陈泰叩拜后，左宗棠让其入座，称赞寿序骈四俪六，对仗工稳，用典妥帖，立意高远，书法遒劲有力。又问“束修几何?”陈答：“一年十两。”左愤然变色，连说：“斯文扫地!”又问：“先生愿出山否?”陈说：“做学老师，于愿足矣。”左即席持赠纹银四百两，不日发表陈泰为湟中县(今青海省湟中县)训导。

陈泰，字翰山，今兰州市西固区陈官营人，家素贫，以廪生资格设帐木塔寺为生。书法早年学二王，中年学颜真卿，晚年有苏味，兰州各寺多有其所书匾对。所书后五泉福泉寺“人石人心”匾额，今存八里窑民间。

梁启超推荐冯国瑞

李鼎文

冯国瑞(1900—1963)，字仲翔，甘肃天水人。北京清华大学国学研究院毕业。曾任青海省政府秘书长，兰州大学、西北师范学院中文系教授。解放后，任甘肃省人民政府文教委员会委员、政协甘肃省委员会委员、甘肃省文史研究馆馆员。1963年3月13日卒，终年六十三岁。著有《绛华楼诗集》、《张介侯先生年谱》、《麦积山石窟志》、《炳灵寺石窟勘察记》等，辑有《守雅堂稿辑存》等。

冯仲翔是民国十五年(1926)秋考入清华国学研究院的。当时研究院主任为吴宓,教授为王国维、梁启超、陈寅恪、赵元任,讲师为李济。鸿儒硕彦,云集清华,极一时之盛。民国十六年(1927)夏,冯在国学研究院毕业,准备返里,梁任公先生当时在天津,特地写信给时任甘肃省省长之薛笃弼(字子良)推荐冯。信如下:

子良吾兄足下:

执别经年,怀思山积。风尘澒洞,京邑阽危,托迹是邦,凄如幕燕。遥望关树陇云,获庇仁宇,弦歌不辍,鸡犬相闻,桃源梦游,企想何极!

专有启者:冯君国瑞,西州髦俊,游学两京,已经五稔,今夏在清华研究院以最优等成绩毕业。其学于穷经解诂为最长,治史亦有特识,文章尔雅,下笔千言,旁及楷法,浸淫汉魏,俊拔寡俦。此才在今日,求诸中原,亦不可多觏;百年以来,甘、凉学者,武威张氏二酉堂之外,殆未或能先也。校中诸师,爱君高才,颇思挽留,更相劘厉。而君以违侍庭闱既久,颇思归省,弟亦以甘省僻处边陬,学风陵替,君既学成,亟宜乡邦服务。夙谂我公戎马之中,留情文艺,慕文翁之启蜀,超尹晓之化黔。似此美才,宜乐延揽,谨驰荐剡,聊当晤言。贱性狷介,夙耻干谒,非所深知,每惜齿牙。今兹冒渎,实缘爱才,荷公相知,当弗见讶。世变方新,群黎望治,伏

愿努力，为国自爱！不尽。弟梁启超顿首。六月十三日。

梁任公先生在这封信里，对一个二十七岁的青年学生大加奖掖，爱才之心，溢于言表。真是大师的风度！当时因甘肃政局变动，薛笃弼已去职，这封信始终未到薛手。但梁任公爱人才、掖后进之意不可湮没，故将原函移录之。

安八爷

张思温

甘肃景泰县安文训者，行八，人尊之曰“安八爷”。光绪时，曾谋反清，事泄被捕，解省城推问，备受五刑，终无口供。

后获释还乡，设塾训蒙，然于常课外加授算法，不教帖括文字。时靖远县范振绪尚未成进士，以诸生授馆景泰，安见之，诮其以八股教生徒，盖有识之士也。

文训常持无鬼论，夏夜每卧于城隍庙寝宫。戒媳等勿为孙女缠足。民元剪辫令下，安时年七十余，欣然剃发，省都督公署嘉为甘肃老年剪辫第一人。1915年，景泰芦塘初设学校，充任教师，喜与学生游戏，开风气之先。

晚年自作棺木，不按陋习画福寿龙鹤图案，嘱绘松竹梅岁寒三友图。乡人制袜多用白布，安则不拘诸色,其意趣多如此。

殁年八十余,遗嘱勿诵经烧纸,倡素棺薄葬之风。教师范柳樵作悼歌,首句为“米山失翠微”,余皆失忆。米山者,景泰之南山,势颇雄伟,象征景泰。

杨增新在河州

马廷秀

杨增新,云南人,清光绪十五年(1889)己丑科进士,分发来甘,曾襄理宁夏将军钟泰军务,屡获嘉奖。光绪二十二年(1896),调任河州(今临夏回族自治州)知州。河州地处边陲,文化落后,民风强悍,素被官府称为“难治”之区。历史上每遇新官到任,内而房班衙役,外而豪绅巨商,必设各种圈套以试新官之软硬。杨增新到任不久,有一巨商先为一原告说情,继而又说被告冤枉。杨增新大怒,立拘此巨商当堂责打四十大板,从此商绅皆不敢前来干扰。

时遇一杀人案件,嫌疑犯有双叶儿,其人久缉不获。杨易服混入民间,行至一地忽闻有人唤一牧羊人为双叶儿。杨增新闻名捕人,始破其案,人称廉能。后杨调任新疆,于民国元年(1912)任新疆都督兼民政长。民国十七年(1928)遇刺身亡,新疆公众皆痛惜不已。

刘尔炘之处世观

师 纶

“遇事一烦，心头火灼。言既招尤，事亦差错。耐之一字，万全良药。任彼纷来，吾神自若，和气怡颜，人喜我乐。些些工夫，百事可作。”

此为刘尔炘于清宣统三年(1911)建“陇右乐善书局”时，以“耐烦”二字与同人相勖而作。刘尔炘(1864—1931)兰州人，字又宽，号晓岚，又号果斋。光绪十五年(1889)进士，授翰林院庶吉士，后任编修。光绪二十三年(1897)返里主讲五泉书院，任甘肃高等学堂总教习。诗文书法，均造诣甚深。辛亥革命时，尔炘曾募志果军数百人，为清王室效忠，及共和既建，乃遣散之，从此不再问政。但能达观处世。为维生计，遂出格卖字，立“结缘翰墨待价表”，题辞云：“万变烟云静里看，江湖阔处地天宽。手中斑管潇湘竹，聊当严陵一钓竿”(其一)；“奚童磨墨涸前溪，休怨先生价太低。但愿淋漓挥洒去，千门万户有云霓”(其二)；“过客休嫌价太昂，将来身价要腾翔。不如及早来收拾，到手云烟四壁香”(其三)。率真诙谐之情趣，跃然纸上。

刘尔炘后半生之精力志趣，惟在修建兰州五泉山。五泉山，历史上早有庙宇建筑，但清末

兵燹战乱，毁坏甚多。1919年，刘尔炘从各方劝募共得银四万八千余两，遂鸠工庀材，大兴土木，亲自监督，历时五年，较前大有增益，殿宇鳞次栉比，富丽堂皇。且园中百余楹联皆为其一人撰著书写。由此，又自号为五泉山人。先生半生精力尽于此，功德亦尽于此。

刘尔炘六十五岁时，曾拍古衣冠小影，自题云："六十五年春梦长，觉来忽著古衣裳。羲皇血统谁华胄，不敢轻将故我忘"(其一)；"毋我微言两字香，嚼来滋味老来长。又将我相留人世，愧读尼山绝四章"(其二)。

刘尔炘先生临终前又口占绝命诗曰："回头六十八年中，痛痒相关与世人。今日抛开躯壳去，权将热血洒红尘。"真出世之达观语也。

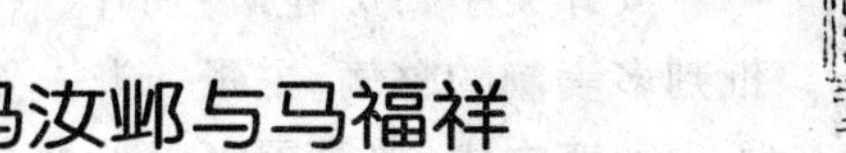

马汝邺与马福祥

邓　明

马汝邺，1890年生，字书城，女，回族，成都人。父马溆午，清代举人，曾任学部员外郎，吉林将军衙署佥事。汝邺幼时，其父即口授《千字文》、《唐诗三百首》。并聘日本女教师饭冢贞子授数学、音乐、手工制作。汝邺于四川女子学堂、蚕业中等学堂毕业后，曾任黑龙江省立女子师范学校教员兼学监。1923年任天津中等学校教师。

甘肃临夏马福祥(回族)好读书,能诗文,自号“戎马书生”。1921年任绥远督统。1925年丧偶,1926年娶汝邺为妻,漫游苏杭,诗词唱和。汝邺作《偕外子游西湖》云:“湖上风光信不同,荡桡疑坠画图中。山如螺黛湖如镜,只少荷花万顷红。”极尽湖光山色境界。

1930年,马福祥任国民政府蒙藏委员会委员长,汝邺随夫参加社交活动,常与谭延闿、戴传贤等谈论诗文,并为夫代笔写诗填词,用以酬答。所作《代外子奉和看镜楼见赠》有云:“雪地冰天事远征,卅年朔漠苦称兵。一朝解甲离戎马,百战雄心厌请缨。诸子愚呆愧豚犬,是翁矍铄似聃铿。当筵那得千杯醉,唱到骊歌不胜情。”脱尽闺阁脂粉纤弱之情,充溢雄峻峭拔之气。

汝邺关注妇女解放。所作《一夫一妻制论》,批判多妻制的弊病,主张一夫一妻制。使“男子既少家室之累,尽心国事。子女有限,亦易教育成人”。所作《生男无喜生女无怨说》,认为“天赋吾人以五官百骸,男女一也,何分乎贵贱”?

1932年马福祥病逝,汝邺和泪吟成《哭云亭夫子五古三十六韵》长诗,有“燕婉七年间,俯仰若一瞥。此生今已矣,往事犹若揭”之句。并撰挽联曰:“有思待我竟薄命如斯,记曾劝隐林泉义重急公,总为系怀多事日;以死许君固前言宛在,念到支持门户礼当从子,空留吊影未亡人。”

汝邺亦善书画。书法师二王、颜、赵,刚柔兼备,飘逸娟秀。时人以求得其墨宝为荣。兰州马廷秀(紫石)曾得其行书一联:“忠厚留有余地步;和平养无限天机。”画学恽南田,工花鸟,所绘山茶、梅花清润明丽。

汝郯诗文联语集为《晦珠馆近稿》,福祥为之刊印,并作序言,略云:“余雅好文事,惜无所就。自与书城结同心之好,暇辄研磨司空博物,本儿女之多情……焚膏继晷,弄月吟风。”

汝郯自夫故后,除捐资兴学外,以读书、书画、吟诗为娱。曾任国民政府立法院立法委员,病故于台湾。

祁宗元为家乡修水利

雷仲科

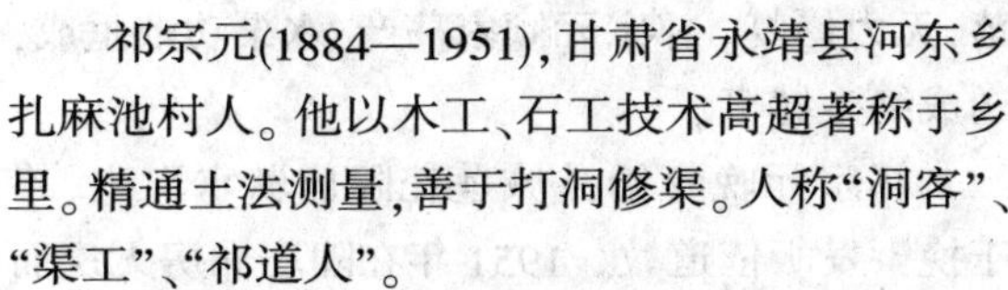

祁宗元(1884—1951),甘肃省永靖县河东乡扎麻池村人。他以木工、石工技术高超著称于乡里。精通土法测量,善于打洞修渠。人称“洞客”、“渠工”、“祁道人”。

祁宗元粗通文字,素性刚毅,乐善好施。民国初年,盛产桃梨的红崖子山乡,被三条大沟切割,运销困难。尤其是沿黄河五里山路,坎坷难行,人称“阎王砭”。祁宗元不惜自家劳资,在离家十里的黄沙岭底,费工二年,凿洞二百米,缩短行程五里,人畜行走安全,乡人无不拍手称赞。

此功告成，祁宗元又设计从“阎王砭”修渠引水，计划灌溉一乡良田。他反复目测，渠经“盐场滩”、“阎王砭”等四道峻岭险崖，要修明渠十五华里、凿洞一千多米，方能通水，工程浩繁。1918年秋，祁宗元在乡亲的同意下，毅然兴工。他先从祁杨村旁的河口测定方位，从头道岭下开始凿洞。洞高五尺，宽二尺半，他全家自凿自背，历经十年。因工效不快，他又出资雇工。二年后[illegible]产赔垫殆尽。但他不甘心半途而废，父子三人分工，由一人轮流乞讨饮食，供二人昼夜挖洞，从不间断，感动了当时的导河县(今临夏市)军政当局，拨款二千元予以支持。他便雇用民工，每工每天付钱一元，至1928年春，凿洞一千零三十三米，把黄河水引到了千年干旱的红崖子新山脚下。时逢“河湟事变”，加之旱象日剧，群众四散逃难，工程被迫停止。数年后，渠道塌落，无力修复。祁宗元倾家荡产，水渠功败垂成，遂成终生憾事。

祁宗元晚年给县城莲花隍庙驮水谋生，终于挽髻发皈依道教。1951年在隍庙厢房无疾而终，葬于刘家峡乡中庄村，至今为当地农民群众所怀念。

王庚山抗议吴佩孚

王九菊

1931年，曾在北伐战争中被击败后潜居四川的吴佩孚，乘西北军失败，甘肃空虚之际，以为有机可乘，悄然潜入甘肃，妄图东山再起。由甘肃土著军阀——盘踞陇南的马廷贤和驻防洮岷的鲁大昌，一路保驾到兰州。吴仍着北洋军阀时期军装，戴饰有红、黄、蓝、白、黑花纹帽徽。11月7日进入省城。各学校学生、公教人员均列队在南郊八里窑迎接，街上贴满了“欢迎吴上将军”的标语口号。甘肃省政府代理主席马文车拨专款三万元，设置“吴上将军行辕”。又召开欢迎大会，会场设在万寿宫省教育会议厅(现兰州市委后院)。当时我是学生，老师把我们很早就带到教育会议厅静候。当吴佩孚刚刚步进会场时，讲台上突然有一个老师模样的人大声喊：“我们要欢迎人，我们不欢迎贼！”此人就是曾经拒绝曹锟以重金贿选总统的王庚山。主持会场的人急忙把王拉下去，并说这是个“疯老汉”。吴佩孚这才安心登上讲台。当晚，有一个中学生用白纸写了一副对联，贴在“吴上将军行辕”大门上。对联写道：

万众同心，兰州将宰丧家犬；
匹夫有责，甘肃不乏救国人。

王庚山(1877—1959),字鑫润,又号耕山,甘肃兰州人。北京师范大学堂法政专业毕业,同盟会员。曾任西安西北大学教授,第一届国会参议院议员。1955年任甘肃省兰州市政协副主席,直至1959年逝世。

马鸿宾智救马福祥

师　纶

马惇信曾对余谈及其家世云:庚子之役,其祖父马福禄为国捐躯时,其父马鸿宾年仅十六岁,其叔祖马福祥待如己出,亲督课读。其父学业甚有根柢,办事亦胸有成竹。如1929年救马福祥于危难,即常为人所称道。

先是,1925年8月,冯玉祥将军任西北边防督办兼甘肃军务善后事宜,冯举马福祥为西北边防会办。其子鸿逵、侄鸿宾亦归属冯部国民军,各任师长之职。后马福祥南下归附蒋介石。1929年,马鸿逵师随冯部主力出潼关打河南樊钟秀,马鸿宾师则担任陕西潼关一带防务。同年5月,马福祥衔蒋介石之命到陕西华山,邀冯玉祥赴南京共商国是。不料马福祥刚到三天,即5月22日,马鸿逵却与韩复榘、石友三在洛阳发出倒冯投蒋的通电,这使冯玉祥对马福祥之来顿生疑心,即将其扣押起来。同时派部队监视马鸿宾所部。马福祥派其卫兵尤布,密嘱马鸿宾设法营救。马鸿宾经过一番考虑,决定只身前往,见机而作。行前命令部队不得轻举妄动。马鸿宾到了华山,适值冯正召开高级将领会议。获准谒见后,马鸿宾首先坦然谢罪说:“鸿逵反叛,我有责任,愿将所统部队,全交总司令亲自指挥,鸿宾甘当一名侍从。”这番表白,得到冯的赞许,并让他也参加会议。会上,冯提出准备通电讨伐蒋介石和阎锡山,与会将领如鹿钟麟、张之江、刘郁芬、宋哲元、孙连仲等均嗫嚅而不言。不料身被疑嫌的马鸿宾却提出异议说:“同时反对蒋、阎,力量不足,两面作战,实非上策”,建议联阎讨蒋。这一惊人之论,被冯拍案称赞。继而对派何人去山西联络阎锡山,又颇费思考。马鸿宾不失时机,立即建议:马福祥与阎锡山有金兰之交,且能言善辩,前去最宜。冯因再无更适合之人可派,只好首肯。于是,马福祥得以脱险,前往山西。

马惇信是马鸿宾第二子,1949 年起义后,曾任人民解放军副军长。平时厚重少言,但论及其家世,则往往滔滔不绝。

听吴佩孚演讲

谷苞

1930年中原大战，冯玉祥失败下野。他留在甘肃的师长雷中田，从四川勾引来了吴佩孚，以互相利用。我原来设想吴佩孚和他的卫队全是彪形大汉。可是真的见到时，却见坐在破轿子里的吴佩孚不过是一个瘦老头；卫队的穿着也破破烂烂，离离拉拉地走着，没有一点列队行军的样子。

我还听过这位被称为“吴大帅”的一次演讲，至今记忆犹新。吴佩孚坐在一把太师椅上，他的秘书长站在旁边。吴每讲两句，他的秘书长就用四川官话重复两句。由于吴的声音很小，蓬莱方言又难懂，我们听得到、听得懂的只是他的秘书长的四川官话。开头的两句是：“上将军说：现在的学生就是将来国家的主人，现在有好学生，那么国家将来才有好将、好相。”紧接着的两句是：“上将军又说：‘孝悌忠信，礼义廉耻，国之八维。八维不张，国乃灭亡。’”吴强调必须讲八维，不能只讲四维。他认为管仲只讲四维——礼义廉耻，是因为齐桓公不孝不悌，管仲本人又不忠不信的缘故。事后我和我的一些同学为了寻开心，常模仿着那位秘书长的腔调重复这些话。

吴佩孚在兰州呆了不久，陕西杨虎城部的孙蔚如率部进入甘肃，吴佩孚就灰溜溜地逃往北平去了。

王式辉、杨继高之死

甄载明

1936年“双十二事变”，兰州同时发动。当时兰州为东北军五十一军于学忠防地，于并兼任甘肃省政府主席，攻击对象则为驻甘绥靖公署主任朱绍良部及胡宗南部驻拱星墩的杨德亮一个骑兵团。事变当夜，朱绍良、于学忠均在西安，兰州城内枪声四起之际，市民不明真相。即绥署官兵亦不知究竟，获悉为东北军发难，知寡不敌众(五十一军三个师多驻扎兰州近郊及附近县)，未敢抵抗，很快即结束战斗。高级官员死者只王式辉与杨继高二人耳。王式辉，江西人，绥署军需处长，为朱绍良之老部下，甘、宁、青驻军之各项费用，每月均由绥署核发，嫡杂远近，常有苛扣缓急之处，从而积怨甚深，事变之夜，王在西城巷杨继高私宅“竹战”。闻枪响后，即欲电话询问，但各处电话均未打通，王仅知兵变，向来兵变未有不追究军需人员者，王惧而未敢回部，即在杨家围炉以待天明。拂晓时忽闻人声嘈杂，叩门之声颇急，杨即亲携手电开门，则东北军数人

寻找绥署王处长者，王在内闻及，即出而站在杨之身后，来人瞥见王式辉时，即怒不可遏，以手枪向杨胸部连开三枪，杨、王均应声而倒。杨继高，甘肃天水人。北京高等警官学校毕业后，随国民军刘郁芬部回甘，曾任国民军驻甘七方面军民众联合处处长，甘、青、宁榷运局局长。遇害时为驻甘绥靖公署参议，青海省政府驻兰办事处长，为甘肃有名人物。死时年仅四十余岁。

赵元贞轶事

张西原

中华人民共和国成立以前，甘肃省厅一级的官员，按例配有黄包车代步。但有一位省政府建设、教育厅长，却因坐人拉的车于心不安，但又为了使车夫不丢掉饭碗，便在上下班时，让车夫拉着空车走在前，自己安然尾随于后。一时传为趣谈，这位厅长，便是赵元贞。

赵元贞(1879—1974)，甘肃正宁人。出生十个月后，生父弃世，六岁时，因生活困难，母亲将他送给别人；十二岁时，养父又死。为此，他曾自称是“双重孤儿”。

赵在甘肃省高等学堂读书时，学堂每月发伙食费二两四钱银子，他却节衣缩食，以买馍泡开水糊口。学堂二十余门课程，只发外语、数学课本，其余课本由学生购买。他无钱购置，便全凭记笔记学习。

后考入京师大学堂地质专业。毕业后，考取官费留美，先后在美国柯州矿务大学采矿系、纽约哥伦比亚大学冶金系、匹兹堡大学研究班学习，获冶金博士学位。学成后，谢却美方厚金聘留，毅然于1922年10月回国返甘。曾任甘肃省实业厅、建设厅、教育厅厅长。后致力于教育事业，一贯布衣蔬食，自奉甚俭。20年代穿的一套粗呢子制服，竟一直穿到去世之时。

赵元贞在中华人民共和国建国后，历任甘肃省教育厅副厅长、甘肃省政协副主席、兰州市第二中学名誉校长，照例是不坐汽车，步行上下班的。

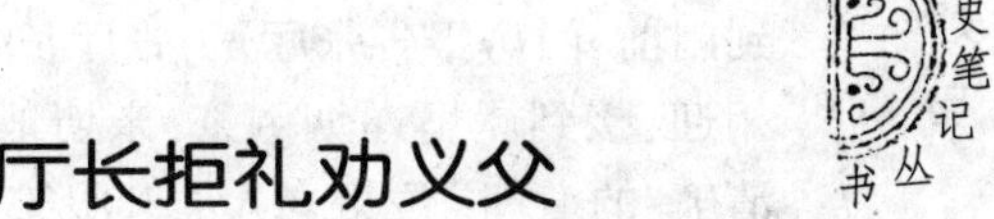

张厅长拒礼劝义父

雷仲科

1945年春夏之际，时任甘肃省建设厅长的张心一患病。家居永靖县上车村的义父他仲仓老人得知，即带上自养的两只“棒羊肉”领后辈同来兰州看望，到兰州已天黑，宿店。次日清晨，他俩高兴地背着羊肉来到张厅长家门求见，门房拒道：“张厅长早有规定，凡带礼品者概不会见。”他仲仓苦口央求说：“烦您禀告张厅长，我是他干爹，听说他有病，专程来看望他的。庄稼人，没拿头，随便带了点自产的羊肉。让他补补身子，没有其他意思……”门房听说是厅长义父，不敢慢待，即刻入内禀告。一会儿，出来答道：“张厅长说，如送羊肉，今天不见，改日再来。”老人听了怒气冲天，放声骂道：“好小子！今天是提着猪头找错了庙门，把我一片好心当成驴肝肺了，走！……原先他家穷，念不起书，小学、中学都是我供的，现在官做大了，都不见老子了。好，没说头！”说罢带着晚辈，背着“棒羊肉”，气呼呼地回到店里，向店主和乡亲们诉说一番，把一只羊肉送店主做了“人情”，另一只与乡亲们煮着吃了。当夜，老人越想越生气，难以入眠，决心次日闯府。第二天清早，两人空手来到门前，门房报告张厅长，张厅长急忙出来笑容相迎，接到屋里递烟倒茶，亲切地说明“为官要清廉”的道理。说得老人眉开眼笑，云消雾散，从心底里佩服义子的为人。此事传遍故里，乡亲们交口称赞张心一是“少见的清官”。

谷正伦在兰二三事

胡孝宏

谷正伦，贵州安顺人，曾于 1940 年至 1946 年任甘肃省政府主席。据其多年贴身的冉副官说，谷平时一本正经，从来不开半点玩笑，有时候要发脾气，拍桌子，踢凳子。但无人怕他，瞬间即烟消云散。他留有两边向上翘的胡子，人称“谷胡子”。若见他一人冷笑，用手不断将八字胡向上捋翘时，准定就要杀人。

谷正伦的庞参谋之弟，因参加地下共产党的活动，被洛阳第一战区司令长官蒋鼎文抓捕，其同案十一名共产党员全部被判处死刑。庞弟通过乃兄找谷正伦营救，其兄以谷的口气代拟电文，请谷签发，谷说：“以我的名义给蒋长官发个电报，电文中废话少说，以十数字简述经过，最后加上两句：年轻人不懂事，尚希吾兄严加管教。”蒋接电后，将其他十人执行枪决，独将庞弟释放。

有张兰芝其人，任甘肃省师管区连长，利用接兵之便，以二千元(法币)折顶一个壮丁名额，收取兵价，括入私囊。此事被谷正伦知道后，判处张以死刑。临刑时，谷令置酒肉与张，张在酒足肉饱之后说：“不向你求饶了。否则，你就无法正伦！”谷说：“你死得很讲道理，我判得更有道理，两不相怨，伦就正了。”

蔡市长施计，马主席让路

戴晨光

兰州设市前，城关街市全为旧式出檐铺面，道路狭窄，崎岖不平，经常是“无风三尺土，雨后满街泥”。1941 年 7 月 1 日设市后的首任市长蔡孟坚决定改变市容，第一件事，便是拓宽七条马路，为此就要拆搬不少房子和住户。

蔡孟坚，江西人。他在被拆房主中的官僚、军阀、士绅等拦路虎面前，机关用尽，圆滑周旋，终于完成七条马路的拓宽工程后，又计划新辟和修整一条林森路(原水北门，今永昌路北段)。但水北门一段有三分之一为宁夏省政府主席马鸿逵的房产，经派员联系，竟置之不理。蔡巧生一计：将原拟名的林森路改称“云亭”路。云亭为马鸿逵之父马福祥的字。将此意通知马之驻兰办事处负责人邹华堂后，马鸿逵不但不加阻拦，反而自动派兵义务拆房修路，使该路顺利拓成。

水梠轶事

朱太岩

"五四"运动之际,在北京工业专门学校攻读日用化学工程的水梠(1892—1958),字寄梅,甘肃榆中县人。当时作为该校学生代表,积极投入了那场反帝爱国斗争,曾赴上海参加学联大会,并被推选为中华学联《国货、日货调查录》的编辑主任,奔赴青岛等地进行调查,于1919年11月《调查录》编印完竣,始返北京。年终毕业后,奉甘肃省长公署委派去东南各省及日本考察实业,于1920年2月回国,返兰后即从事教育事业。

30年代初,我在兰州师范学校就读,时水梠任甘肃工业学校校长兼任新民公司董事长,为我们班兼任化学和物理学,我毕业后,准备去北京升学,水老师主动命我去其家为我补习有机化学,每周两次,每次两小时左右,都在晚上业余时间,补习了一个学期。水老师并未收取任何费用,有时碰上老师吃饭,我还侍饮两杯。这种耳提面命,不辞辛劳而又不取任何报酬的高尚风格,使我毕生难忘。

1935年9月,水老师去北平公干,曾由我陪同去西城朱茀泊胡同拜访他当年北京工业专门学校同学方乘。方后留学法国,时任北平大学工学院化学工程系主任,阔别多年的同窗,一朝相见,倍觉亲切,自不能无礼品相馈,水老师赠方乘先生《理论实验肥皂学》一册,方报之以《酒精制造学》,这种既珍贵又超俗的礼品,均由我经手授受,亦可谓一段佳话。五十多年过去了,当时情景,宛如昨日。

李约瑟自定汉译姓名

汉国萃

中国科学技术史的著名研究家李约瑟,初到中国时,没有汉译姓名。当时重庆《大公报》在报道中,根据他原名中的 Needham 译为尼德汉,后来外地在有关报道中也使用了这个译名。1943 年他来甘肃时, 甘肃的报纸使用的也是这个译名。

1944 年,李约瑟自己对汉文已有相当了解,认为把他的姓名译为尼德汉不恰当。他姓名中的 Joseph,《圣经》中早已译为约瑟,而 Needham 的第一音节音译接近“李”,因此他把自己的汉译姓名定为“李约瑟”。从此以后,国内便一直使用这一译名, 一般人也就不知道他曾被译为尼德汉的事了。

李海舟三次遇难

亦 农

李海舟(1901—1983),兰州市人,著名的"民间艺人"。能自编与演唱兰州鼓子词,也能创作其他通俗文艺作品。他在解放前曾三遭危难,均化险为夷。

1925年10月,甘肃陆军第1师第1旅旅长李长清与第2旅旅长黄得贵交战于兰州华林山一带。适逢李海舟去河州(今甘肃临夏市)外婆家接母亲回兰,途经李长清防区,被李部士兵疑为黄部密探,绑吊在房梁下拷问。李海舟痛疼难忍,连呼冤枉。巡视军营的李长清听到,遂令停止拷打。问:"有什么冤枉!"李海舟忙说:"长官!小民是去河州外奶奶家接阿娘的,不是探子。"李长清问明其三代及外家姓氏、职业,略作沉吟,赏给5块银元放行。

原来李长清也是河州人,事母孝。海舟不避兵戎,冒险去接母亲,其孝可知,故得释。

1940年清明节,李海舟到兰州拱星墩祖坟扫墓,被临近的军用飞机场警卫误认为给日机打信号的汉奸而被扣押,惨遭毒打。后经地方大绅慕少堂、裴建准等保释出狱。

1947年李海舟在兰州小沟头开设粮铺,曾自撰楹联贴在门上，联云："不卖水烟旱烟卷烟鸦片烟;专售白面黑面豆面禾田面。"横额是"解决吃饭问题"。此句恰与当时学生"反饥饿、反内战、反迫害"运动所提口号雷同。遭警察局逮捕入狱,严刑拷问他是否为共产党宣传。亦经慕少堂全力营救始释放出狱。

李海舟深感慕少堂救命大恩，遂拜慕为义父,逢年过节都去磕头送礼。李所收集整理的兰州鼓子词《三国》、《西厢》等,常由慕为之增删润色。1948 年慕少堂病逝后,因有女无子,李海舟披麻戴孝,以孝子身份为义父送葬。

王权重宴鹿鸣

张尚瀛

王权(1822—1905),字心如,号笠云,别第曰“笠云山房”,甘肃伏羌(今甘谷县)人。清道光甲辰(1844)科举人。后三应会试,皆落第,从此绝意科名。咸丰八年(1858),任甘肃文县教谕。同治十一年(1872)署陕西延长县知县。十三年调兴平县,政绩卓然。

权任职兴平时,左宗棠督军过境,权迎谒途次,左下车亲手扶起说:“足下陇右读书人也。宰相非为县官下车,我为陇右读书人下车也!”一时传为佳话。

权中岁以后，结束仕途生活，专心著述，著有：《舆地辨同》、《山异名》、《辨同录》、《诂剩》、《童雅》、《笠云山房文集》、《笠云山房诗集》、《秦州直隶州新志》(与任其昌合纂)、《炳烛杂志》等。

光绪三十年(1904)，为权中举六十周年。经陕甘总督嵩蕃奏准清廷为王权“重宴鹿鸣”，加四品顶戴衔。时权已八十三岁，行动不便，仅从卧室出迎酒宴，聊为尽礼而罢。

按：唐代乡试后，州、县官宴请新科举人的宴会，名“鹿鸣宴”。因在宴会上歌《诗·小雅·鹿鸣》之章，故名。清制，举人于乡试中式后满六十周年，经奏准得与新科举人同赴“鹿鸣宴”，称为“重宴鹿鸣”。王权重宴鹿鸣，为世人称道，乃甘肃罕见盛事。

从一份会试朱卷看科举考试

师　纶

科举时代的试卷，如今已不易见到。兹以一份会试朱卷为例，略述其梗概。

这是一本长 26 厘米、宽 15 厘米、黄皮、木刻印刷的《会试朱卷》，扉页是套红四龙图，正中有“钦命四书诗题”六字。全本直排，无断句。前半本是中式者的生年生地出身简历，注明属于

“民籍”。之后分上下两半栏,上半栏为自可考的直系祖若干代到生身父母的氏名及简况，下半栏则记伯叔祖。此后为受业师、受知师的姓名及简况。其受知师从县教谕、训导、知县到陕甘总督均列名于其间。最后是中式者的科举历程:××年乡试中式第××名 (举人),××年会试中式第××名 (贡士),××年殿试第×甲第××名，赐同进士出身,朝考第×等第××名。并有“钦点即用知县,签分安徽”字样。

后半本首列贡士应考时的一名同考试官、四名大总裁的官衔、姓氏及阅卷批语。这些批语其实是官样文章。如一个荐批语说:“思清笔爽,经策淹通”,另一个取批语说:“义正词纯,经策博赡”。总之是合格了,中式了。以下才是中式者的试卷,即八股文三篇、五言八韵诗一首。

八股文的三篇题目,分别是:“子曰:君子矜而不争,群而不党。子曰:君子不以言举人,不以人废言”,“斯礼也，达乎诸侯大夫及士庶人”,“井九百亩,其中为公田,八家皆私百亩,同养公田”。中式者的三篇文章分别写了六百九十九字、六百八十四字、六百五十七字(看来七百字以内是限定的规格)。每篇均按破题、承题、起讲、提比、虚比、中比、后比、大结的八股刻板格式,依样画葫芦,绝对不能“越轨”。但每篇则有与题目切合的议论。试以最后一篇开头两股为例:“详其数而分其亩,而即以私养公焉。”这是“破题”。接着说:“夫亩而计以九百,田数定矣;中公而外

私，田亩分矣；合八家以同养，不亦见助法之善乎！”这就是“承题”。这些话都合乎井田之制，且通顺流利；然而阐发了什么新义没有？没有。也可以说它什么也没有说。这就是“八股文”的奥秘了。

一首诗，录如下：

赋得柳拂旌旗露未乾。得春字五言八韵。

晓露乾犹未趋朝趁早春旌旗排夹道杨柳拂清晨细似烟搓影浓疑汁染身锦纹双阙丽珠唾九天匀风絮团来重霞标建处新瑶阶青欲晕玉宇碧无尘汉殿承盘夜唐官待漏人蓼萧赓雅什珥笔颂

丹宸。

平仄韵律皆合，字词绮丽，流畅上口，显示了中式者的才华与功力。但除了归结为颂圣之处，可以说没有表达什么思想感情，板而不活。然而，惟这样，才是得体、中式。

写这样的文章和诗，无异于在固定框架内搞文字游戏。然而不如此，就不能步入仕途，飞黄腾达。试想一直在这种游戏文字中耗尽脑汁的人，一经中式，便“即用知县”之类的官，怎么能经世致用呢？千余年间，中国无数的知识分子，包括其中的佼佼者，他们宝贵的青少年以至壮年时代，数十年寒窗，就这样被白白消磨了。呜呼！

左宗棠兴建柳湖书院

曹 恭

清同治十二年(1873),陕甘总督左宗棠驻节甘肃平凉时,见原来的高山书院毁于兵燹,乃令甘肃按察使魏光焘募捐白银二千六百余两,重建书院讲堂、斋舍,并在湖边植柳,间以亭、台、楼、榭,于翌年竣工开学,更名"柳湖书院",为平凉、庆阳府、泾川、固原直隶州所属各县士子求学之所。官课由府、州、县官吏轮流主讲,课堂由山长宣讲《四书》、《五经》、"八股试帖"、"律赋"、"策论"。学制三年,不论是否"童生",都可免试入学。左宗棠亲书"柳湖"二字匾额悬于门首,并拨学田地百亩,作为书院经费来源。柳湖内有暖泉,隆冬不冻,清澈见底。左宗棠亦手书篆体"暖泉"二字。自此以后,柳湖不仅为平凉林泉胜景,而且成为培养人才的园地,在陇东教育史上留下了光辉的一页。

污卷失点状元郎

赵世英

秦霖熙，字春帆，甘肃兰州人，清光绪五年(1879)己卯科进士。左宗棠任陕甘总督时，因陕甘合闱考试，甘肃秀才赴陕应举诸多不便，乃奏准清廷创设甘肃举院。秦即分闱而试的该院中试举人。据靖远范振绪(字禹勤，光绪二十九年癸卯科进士)谈：秦霖熙中进士后，将参加保和殿皇帝殿试。主考官极赏识秦之文才出众，时值左宗棠出任军机大臣前夕，为左氏育才增辉，已决定选荐秦为本科第一甲第一名进士，即"状元"。嘱秦殿试时，试卷务必详审细酌，最后交卷。当时因试场深广，透光不足，应试者均自备短小蜡烛，以便傍晚照明。秦卷早已答完，因遵主考官之嘱延迟交卷，乃燃烛细核，不慎卷面为蜡倒所污。主考官见之，顿足叹息，谓："此卷万不能上呈，呈则犯考规，有忤上之罪矣！"秦闻言，乃袖卷怏怏而退。

秦霖熙因一时不慎污卷，而失千载良机，追悔莫及。嗣后遂淡漠科名，致力医学，孜孜不倦。本范仲淹"不为良相，必为良医"启示，虽污卷失点状元郎，但终成甘肃一代名医。

陇上方言漫谈

赵燕翼

甘肃地域辽阔，东西长一千六百余公里。自秦汉以来，多次从内地移民实边。屯垦军卒，亦常滞留戍地；且不断与西北各少数民族交流，融合，故方言土音极为繁杂。

陇东毗邻陕西，该地区民众口语近似秦腔。有人戏以平凉方言改杜牧《清明》诗云："清明时节雨法法，路上行人可咋价！借问酒家那搭有？牧童遥指在哇哇。"——"法法"即"唰唰"。"可咋价"等于"怎么办呀"。"哇哇"就是"那儿"。此首改诗，颇能传达关中土话的神韵，但不谙秦声者则莫名其妙也。

旧时曾流行一则笑话：有个甘谷(属陇南)小贩，担两筐箩"货物"，在兰州街头吆喝叫卖："买枪来，买枪来！长枪短枪盘盘枪，还有子弹！"值勤警察闻声大惊，以为是军火贩子；拦住一检查，不禁哑然失笑——原来一头筐箩装的是香，另一头筐箩是鸡蛋。

省会兰州的老居民，有许多句式结构极其特别的方言，如将辣椒种子叫做"辣子子子子"；将小雀(读巧)称为"雀儿儿儿子"——此类语言，无论出自口头或写在纸上，都会使外地人瞠目结舌,不知其所以然。

河州(现临夏回族自治州),历史上就以多民族杂居著称,故群众语汇常出现倒装句式,如“饭吃了没有”、“媳妇娶过啦”之类。更有一些汉语无法索解的方言,如称“头”为“多罗”,称“现时”为“阿藏”(亦作发语词用)等等。此类特殊方言,可能就是历史上某种民族语言的沿袭借用。

河西走廊历代移民频繁,各州县口语发音千差万别。如凉州(武威)人将韵母“an(安)”与“ang(昂)”混同(不会发 an 音),因此把“箭竿”说成“酱缸”;把“严乡长”和“杨县长”都称之为“洋相长”。甘州(张掖)人则把凡以“zhu(朱)”音发声的字,都改为“gu(姑)”音发声;这样,“中国”就成了“公国”、“朱家庄子”就变做“姑家光子”了。民间幽默家特编了一段嘲笑甘州人的绕口令云:“墙上一个姑姑(蛛蛛即蜘蛛),瓜(抓)也瓜不谷(住),郭(捉)也郭不谷;瞅头搂了一笤谷(帚),康(看)你霉鬼排(跑)到哪里喀(去)!”——闻者无不绝倒。

要消除庞杂怪僻的方言土音,只有大力推广普通话,才可能使祖国语言逐步趋于规范化。

旧话忆童年

马廷秀

我出生于清光绪二十六年(1900),我家原住兰州城南滩街(今城关区互助巷)。八岁入井儿街回民义学,塾师是一位回民老秀才,学生只有七八人。念的是《三字经》、《百家姓》、《四言杂字》、《史鉴节要》、《声律启蒙》,只背诵,不开讲。光绪三十二年(1906)随母亲到河州探亲两年多,在河州南关白衣寺上学,正课念《四书》,课余读《幼学故事琼林》、《龙文鞭影》。并开始写毛笔仿格,常用的仿格是“一去二三里,烟村四五家,亭台六七座,八九十枝花”的大字仿格。光绪三十四年(1908)十月,慈禧、光绪相继去世,下令全国举哀,禁止婚姻喜宴,男子留发戴孝,老师号仿(批作业)、点书都由红笔改为蓝笔。宣统元年(1909)回兰州入兴文社所办的两等小学堂(今张掖路一九三号),自备桌凳,不收学费,读《四书》、《诗经》,学“缀法”(简单的造句)。宣统三年(1911),我考入皋兰小学(在今曹家厅),学生按程度分级,课程有国文、算术、历史、地理、音乐、体操、修身等,粗具新式学校的规模。

辛亥革命后,1913年北洋政府派湖南回族学者马邻翼为甘肃教育司长, 他到职后即着手兴办回民教育，在兰州成立回民劝学所，下设清真高小一处、初小四处，课程都按教育部规定设置，并增加阿文一课。学生每人发白色制服一套，领章刺有“清真”二字，在当时是很新颖的。1914年袁世凯要当皇帝，承认日本提出的“二十一条”，出卖领土主权，激起全国各族人民的义愤。兰州学生界发起救国运动，绅商各界响应。在曹家厅左公祠举行大会，散传单、发通电。各学校组织宣传队，到街头进行抵制日货、救国储蓄的宣传，高呼“饿死事小，国耻事大”等口号，激发群众的爱国热情，社会风气为之一振。当时传唱中等学校自编的《国耻歌》，歌词是：“高丽国、琉球岛，与台湾，地不小，可怜都被它鲸吞了。在今朝，乘我国势飘摇，欧洲血战尚未了，又提出，灭国条。无公理，灭人道，好山河，将送掉。最伤心五月七日噩耗，为奴为仆眼前到。这国耻，几时消？”

现在，时隔七十多年，我不仅还能唱出此歌，而且当时那种轰轰烈烈的爱国反帝景况，仍然犹在眼前。

王和生在“五四”运动中

王九菊

1919年5月4日，北大、北师大学生，为反对曹汝霖、章宗祥、陆宗舆出卖胶济铁路，上街示威游行。5月6日清华大学学生出动，营救“五四”火烧赵家楼、揪打陆宗舆而被捕的师大和北大同学二十余人。时在清华上学的王和生同时也被捕，拘留在北大法科楼达一星期之久。

同年8月下旬，学生联合会举行弹劾山东督军马良的示威游行，清华同学随同请愿，包围了总统府大门及所有十三个侧门。当时王和生是清华的童子军(年十七岁)，拿着童子军棍，正蹲在总统府大门外吃馍。忽听一声门开，闯入一伙军警大肆逮捕。警察对王说：“小孩快走吧，别看热闹，这会正抓闹事的学生，抓去都要枪毙，快走吧！”王和生说：“我也是闹事的，跟你们去死，不过请打头部，容易死些！”于是也被拘捕到天安门，在此次“天安门之役”的搏斗中，王和生用童子军棍打倒了两个警察。这次斗争全体清华同学，受到留级一年的处分。

王和生，甘肃皋兰人，生前为甘肃省文史馆馆员，在世时如提到“五四”，仍然激昂慷慨，爱国热忱不减当年。

于右任忌讳病语

马騄程

陕西三原于右任，以书法蜚声于世，雅好诗词艺术，且诗论甚高，忌讳病语。余每谒，奖掖备至。然某次对余《作诗有感》之作，则大不称是，曰："'恨无谢朓惊人句，始信江郎才尽时'，此联虽工，惟不称体。盖江郎才尽，乃晚年事。子方弱冠，正须积学长才，何能例此！"余归而诉诸本师汪辟疆先生。师曰："于公之言是也。引证物喻，贵适情理。否则，虽著述等身，有何益哉！忆昔有某女士者，求书于公。公临池，女士袖呈一联云：'流水碧千尺，落花红一溪。'公注视良久，搁笔而去。女士追请，亦不顾。事后，人怪而问之，公曰：'彼一未婚女子，竟以流水，落花之词，督余书之。余何为哉！'于公为文，素讳病语，子年少，当引以为鉴。"

《新青年》与“兰州正本书社”

朱允兴

兰州在辛亥革命前，无一张合乎近代规范的新闻报纸。有的只是政府的官报、公报，实即转载政令和文件汇编而已。辛亥革命后，虽然出现了诸如《大河日报》、《兰州日报》、《通俗日报》、《边声周刊》、《河声日报》、《金城周报》之类的地方报刊，但使用的仍是文白夹杂的枯涩文字，刊登一些官样文章，或者是“督军、省长率领文武官员、步行到金花娘娘庙虔诚祈祷，天忽降甘霖”之类宣扬封建迷信的货色。外来传播新文化的报刊是极少的。偶尔能看到《民铎》、《国民》、《新人》等书刊，但销售量很是有限。当时兰州的学校，如文高等学堂(今兰州一中)，虽说也添设数理化课程，但主要教授的还是经学和史学，内容仍不出孔子六艺和宋明理学的范畴。这种封闭式的社会思想状况，对于外界新思潮的抵御是很顽强的。顽固保守派最怕听到一个“新”字。正是在这种历史背景下，甘肃省教育会会长牛载坤，居然在他所创办的“兰州正本书社”里，公开出售作为新文化号角的《新青年》杂志。从1915年10月15日《新青年》第一卷第二号开始，直到1920年1月《新青年》第七卷第二

号为止，"兰州正本书社" 作为上海群益书社总发行所在兰州的代销处，经销《新青年》杂志达四年有余。据《大公报》记者林竞在 1919 年 1 月某日曾走访正本书社后说，他不仅买了一些新书刊，还与书社经理牛载坤晤谈许久。他对牛的印象很深，认为牛是 "甘肃坚苦卓绝之实行家也"。这在当时情况下，坚持销售《新青年》，确是难能可贵的。

《甘肃通志稿》编纂始末

牟实库

1928 年甘肃省政府决定纂修《甘肃新通志》，以吴瀛章任总办，杨思任总纂，秦望濂任襄办。1929 年 3 月 11 日成立甘肃省通志局，下设编纂和事务二部。是为甘肃建省后第三次纂修省志。

通志局编制七十九人，编纂部除总办吴瀛章、总纂杨思、襄办秦望濂外，协纂有张维、汪荀、慕寿祺；分纂有廖元佶、程天钖、王烜、邓隆、李鼎超；采访有蔡景忱、冯国瑞、王海帆、司秋沄等。事务部设主任、科长、科员、校对、办事员等。通志各门类编写人员如下：舆地：张维；民政、军政、教育、外交：王烜；交通、职官、山水、方言：李鼎超；艺文、金石：廖元佶；建置(包括物产、古迹):冯国瑞、司秋法;民族:邓隆;财赋:汪荀;人物:程天锡;纪事(包括割据):慕寿祺;选举、拾遗:冯国瑞、司秋沄;边防:聂守仁;变异:李峨生;古迹、生计:王海帆;晷度、气候、疆域、寺观:王健庵;仓库、廨署、庙坛:司秋沄;县市、文化、村里、物产:冯国瑞;军制:蔡景忱。

1931年11月1日,改局为馆。杨思仍任馆长,张维任副馆长,设总校一人,编纂四人,秘书一人,编校四人及主任、股员、办事员和录事等共四十六人。至1933年,因经费困难,又兼地方不靖,修志工作进展缓慢,书稿约完成十分之五六。1935年,修志期限已到,经费行将中断,而志稿仍未编就。当时张维、邓隆、廖元佶、朱秉衡、王烜、慕寿祺、刘庆笃诸先生在极其困难的情况下,又经过一年多时间的努力,始获完稿。凡一百三十卷,十七纲,九十三目,四百五十余万言。其中已编就之《甘肃省县总分图》和《甘肃地理沿革图表》由杨思署端,作为志稿一至三卷单行本于1934年先期付印,其余稿件因抗日战争爆发未能付梓。现原稿及清抄本均珍藏甘肃省图书馆,并命名曰《甘肃通志稿》。1964年曾择其要者,先后油印了十三种三十四册,近三百余万字。

《甘肃新通志》在艰难中诞生,为后世留下了大量珍贵资料。

文溯阁《四库全书》藏于兰州

春 浦

《四库全书》是清乾隆三十七年(1772)正月开馆编修,经十年始成。总编纂官是纪晓岚及当时著名学者戴震、桐城派古文学家姚鼐等三百六十余人。参加编修、校对、抄写、装订者多达三千四百六十六人。今藏甘肃兰州"文溯阁"《四库全书》共收入图书三千五百七十八种,三万六千三百十五册,七万九千八百九十一卷。全书分经、史、子、集四部,分藏于四大书库中,称为"四库书"。乾隆帝因其内容丰富,卷(册)帙庞大,在"四库"二字之后,加了一个"全"字,遂称之谓《四库全书》。全书手抄七部,分别藏于"文渊"、"文源"、"文津"、"文溯"等四阁,称为"北四阁",又称"内廷四阁";余三部分藏江苏镇江的"文宗阁"、江苏扬州大观堂的"文汇阁"、浙江杭州西湖的"文澜阁",称为"南三阁",又称"外三阁"。因成书时间不同,故七部《四库全书》收入书种、册(卷)数,各不相同。

七部《四库全书》完成后,为区别阁字标志,分别于经、史、子、集封皮上用不同颜色的绸绢作为书皮。如现存甘肃省图书馆原"文溯阁"的一部,其书皮用绢分别为:经部绿色,史部红色,

子部蓝色，集部灰色。同时为防潮湿、虫蛀、腐烂，均用樟木精制的书函装藏。并盖有“文溯阁宝”的印章，书尾盖有“乾隆御览之宝”的印章。

原藏“盛京”(今辽宁省沈阳市、原清朝故都)“文溯阁”的一部《四库全书》，至 1948 年 10 月 28 日沈阳解放后，东北人民政府文物管理处派专人对该书的水湿、虫蛀、破损等进行了修整补救。1966 年 10 月，中央文化部鉴于甘肃气候适宜，决定将这部《四库全书》交由甘肃省图书馆保管。我省对这项保管工作很重视，先后在靖远、连城珍藏。1970 年，人民政府拨专款四十万元，在榆中县新建书库移藏，确保其安全无损。此事为陇上文史增色不少。

培黎学校的董事会和校长

汉国萃

近十年来，全国和甘肃关于培黎学校的报道较多，但关于该校领导人，大多只提到路易·艾黎一人。据 40 年代兰州发行的主要报纸《西北日报》1946 年 8 月 11 日报道，兰州和山丹的两个培黎学校在 8 月 10 日组成董事会，董事会的发起人是谷正伦 (时任甘肃省政府主席)、路易·艾黎、戴乐仁，聘请裴建准、水梓、张心一、张官廉、郭松懋、王俊三、王贤琳共七人为董事。通过了章程，推选谷正伦为名誉董事长，选任张官廉为两校校长，张氏出国期间(张官廉内定赴美考察，即将出国)，由艾黎兼代。董事会并推张心一、郭松懋为常务理事。

显然，这则报道比较全面地反映了两校的领导机构和人事组成。至于推选谷正伦为名誉董事长，当是路易·艾黎等人出于减轻政治压力与阻力的考虑。

胡适重视《陇右金石录》

马骕程

1946 年秋，我与吴雨僧先生到南京鸡鸣寺中央研究院拜望胡适先生。谈话间，胡适先生问我："你们甘肃文史、金石学者张维(鸿汀)编纂之《陇右金石录》一书，你可否给我代购一部?"我慨然应之。遂给在兰州甘肃省民政厅任科员的张定国写信请为代购。张为甘肃永昌人，是我初中同学，交情甚笃。接我信后，遂购书一部，寄赠胡适。胡收到书后大喜，特将此事面告时任南京市龙蟠里图书馆馆长兼国史馆纂修的柳翼谋。柳先生一次对我说："胡适说你给他代购了一部《陇右金石录》，能否也给我馆买一部?"我亦应之。又信托张定国代购。谁料历时年余，杳无音讯，后始悉张定国饮酒中毒身亡，柳馆长委嘱购书之事未成。胡适、柳翼谋两位大史学家均认为《陇右金石录》“颇有价值”，鸿汀先生嗣又续编《陇右金石录·补录》，堪称甘肃历代金石之总汇。

甘肃“花儿”传台湾

张西原

张亚雄(1910—1989)，甘肃榆中县人，生前为甘肃省文史研究馆馆员。一生研究流行于甘(肃)、宁(夏)、青(海)三省民歌“花儿”，著有我国第一部《花儿集》行世，第一次把西北各族人民喜闻乐见的口头文学变成文字资料，为海内外研究“花儿”，建立“花儿学”奠定了基础。

“花儿”又称“少年”。“花儿”指所钟爱的女人，“少年”则是指男人。“五四”新文化运动中，北京大学曾向全国征集歌谣。但流行于三陇的民歌“花儿”并未引起重视。甘肃早期共产党员张一悟是“五四”时期北京大学歌谣研究会的成员，也是《歌谣周刊》的参与者。张亚雄少年时代在张一悟的影响下，开始了“花儿”的学习与研究，后考入北平平民大学新闻系，得到该校新闻系主任徐凌霄先生的鼓励，增强了对“花儿”的爱好，决心辛勤耕耘，并在北平发表他研究“花儿”的第一篇论文《花儿序》。

1931年，张亚雄毕业返甘，开始他的报人生涯，多次编文艺副刊，首先在《甘肃民国日报》上发表文章倡导，并向社会征集“花儿”，得到不少来自社会最底层的质朴、粗犷、热情、充满泥土芳香气息的“花儿”，从中展现出一幅幅农耕、狩猎、樵牧、贩运、军旅等人民生活的壮丽画卷。有的还寄来有关“花儿”的文章。这使他既兴奋，又钟爱不已。他将这些“花儿”和文章编纂后在报纸上陆续发表，开始对“花儿”系统地进行整理和研究。

1940年，在曾任甘肃省政府代理主席、后任国民政府军事委员会委员长办公厅主任的贺耀祖的帮助下，《花儿集》第一版在重庆青年书店出版。贺耀祖对《花儿集》非常赏识，欣然于该书之扉页上题词：“抗日先锋”。

《花儿集》第一版印数五千册，短期内即争购一空。

1973年，台湾省文化部门将张亚雄的《花儿集》列入民俗学第一部分的第五辑复印。1980年，《花儿集》由中国文联出版公司再版，足见它的人民性和顽强的生命力，也为海峡两岸文化交流留下一段佳话。

附：张亚雄“花儿”两首

一、农民心目中的官家社会

桂花窗子桂花门，大老爷堂上的官灯。
杀人的刀子接血的盆，小妹妹没有悔心。

二、强项与大胆

花儿本是心上的话，不唱是由不得自家。

刀子拿上头割下，不死是就这个唱法。

兽医先辈朱建璋

甄载明

朱建璋，字诵莪，上海川沙人。幼丧父母，性诚实而敏于学，弱冠入北洋马医学堂。光绪三十二年(1906)毕业，两度派赴日本留学。回国后任兽医学校校长，时兽医学校由保定移北平，诸凡更新，多赖先生擘划之功。

1928年，兽医学校由南京政府接收，派王华清为校长，先生乃退任教员，怡然其志，毫不矜持。“七七”事变，南京沦陷后，兽医学校一再播迁，由湘而黔，先生携眷追随，教诲从学诸子尤勤。1942年冬，先生奉派来兰，筹设兽医学校西北分校，未两年而规模大具，秩序井然，识者称之曰能。抗日战争胜利后，兽医分校奉令结束，先生仍回安顺本校为教师，其恬退一如昔时。

当西北分校结束之际，余任秘书，先生于临离兰前，将前此学友馈赠各物，全部归公。在兰同学集资购买送给的皮衣一袭，也归公。余疑而问之，先生曰：“我生平未着过皮衣，且我虽‘少将’，当此国困民穷之际，月俸养廉有余，岂能以

此琐屑者累吾清风耶。”先生之廉洁多类此。

先生生平以治学为旨皈，且矢志兽医学校，始终不渝，淡泊名利，功成不居，虽迭任艰巨，亦不以辛劳而稍懈，对人从无愠色，终其身未闻有诟詈声。至其饮食起居，与研究学术之精神，六十年如一日。解放后被聘为军委兽医局专门委员，每月必退其薪金之半。1950年余到京，受托劝其不必如此，先生以“国家初建，人人应节约以供国用”对，始终未领全薪。以古稀高龄，先后参加河南、宁夏各地防疫工作，与诸少年不稍异。1962年冬，以病卒于京。先生著作等身，率属传染病及血清方面者，现多由长春兽医大学印出。

裴慎之话学医

师 纶

陇上名医裴慎(1914—1989)，字慎之，才思敏捷，诗、书、画兼工。有《本草骈比》、《裴慎医案选》、《伤寒方证识》等医学著作传世。生前自述学医之由来云：十六岁时患病，寡母从三十里外请老中医诊治，必备轿接送，设宴款待，并酬以重礼。是非贫寒之家所能办，困窘不堪。一次问中医：“我所患何症？”答以“内伤劳役伤脾气”，即自翻检家藏医书，查得老中医处方为“补中益气汤”加减，遂按医书所载，自行摸索，进退用药，未久果愈。母亲喜出望外，取出父遗书简令看，遗简曰：“医道，其功与良相相表里，燮理阴阳，一也；仁寿生民，二也；致知格物，三也。故曰：不为良相，必为良医。”盖其父深于医道，所嘱亦传统医家思想。其母见其意有所悟，即问道：“这是你父亲给你留下的话，你懂吗？”“我懂。妈妈，我一定要按父亲遗言去做！”热泪与决心不期而并至。此后，裴慎之即苦心钻研医学，并毅然辞别寡母，远去南京入医校，去苏北拜名师。经多年实践，不断总结提高。每为病人开一处方，必记于笔记本上，一为继续诊治之参考，一为研究总结积累资料。所攻疑症日多，遂成名医。笔者为受惠者之一。

王氏祖传高超铸冶技术

雷仲科

王宣、王训兄弟，原籍山西洪洞县白马坡。于明洪武二年(1369)以征调行艺铸冶来甘肃，初居兰州五泉山下，后又迁至皋兰西半个川。以农为主，兼作铸冶，技术闻名遐迩。

王宣、王训自明洪武四年(1371)至九年(1376)，以六年时间，为兰州黄河镇远浮桥铸造了长5.8米、直径61厘米的将军柱四根，造型独

特，花纹精美，堪称铸工佳作。今尚存一根，置于西关什字黄河铁桥南侧，1962年，甘肃省人民政府定为省级保护文物。相传，王氏兄弟还曾为兰州辕门铸造铁狮子一对，为罗家洞寺铸造铁牛一只。不少寺庙的铁钟及百人大锅，亦多出其手。

至今，永靖县刘家峡上古城几家王氏炉匠，即王宣、王训的后裔。他们为农家铸造的各式犁铧、铁锅、火炉及其他铁器，深受农民群众欢迎。他们还承包县城几家工厂的铸件生意。

兰州象棋高手彭述圣

王和生 遗述　王九菊 整理

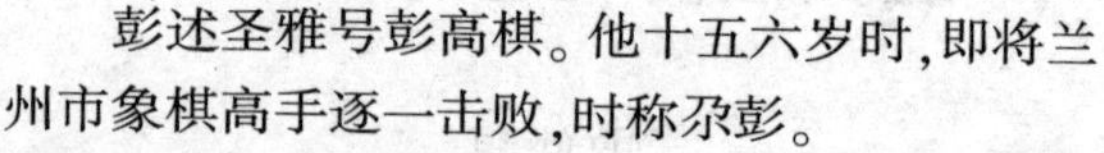

彭述圣雅号彭高棋。他十五六岁时，即将兰州市象棋高手逐一击败，时称尕彭。

1928年，彭述圣阅读“象棋大全”，藉知沪上有“万国象棋会”之设，遂急欲前往参战，凑足路费，登程北上，想遍游京、津、沪、宁，会各地名手。到北京后，与北京诸大名手对垒经年，未遇出其右者。旋值“一二八”事变发生，未能南下抵沪。返兰后，在兰州城隍庙主持象棋研究室，以艺会友，启迪后昆。时有卖酿皮子的马某，爱看他下棋，每日都无偿供给他吃一碗酿皮，使能一直下棋到午后始归家。至今兰州棋风之盛，与他的提倡和教授生徒关系甚大。

1953年,《象棋》月刊第八期刊载青岛胡兰荪的一封信,介绍彭述圣名噪首都,认为彭述圣是全国第一大国手,称之为“棋圣”。

兰州太平鼓

张西原

太平鼓流行于西北各省，但兰州太平鼓与其他各地形制皆异。

兰州太平鼓鼓长三尺,围二尺余,鼓身涂以红漆,鼓面蒙羊皮,正中绘太极图,周画八卦,用环加带斜挂于肩上,用粗绳作鼓槌,因此别具特色。

兰州山川壮丽,民风强悍,以太平鼓表演可窥其古代尚武之遗俗。

表演时,锣鼓各八面,选精壮青年,面敷薄彩,头戴燕青帽,耳边斜插一朵大红花,上身穿有一百零八个纽襻的黑布紧身衣，下着黑色大裆登云裤,足登步云履,腰系虎抱头黑缠腰。悬鼓腋下,以槌奋击,鼓左右摆荡,身随鼓转,翻腾跳跃,众人一态,共赴节奏。激越当中,锣在前导,又有二人持卷旗反偃指挥,锣鼓徐疾,以为节度。鼓声震天动地,气势雄壮豪迈,令人叹为观止。挥击此鼓,非西北汉子莫属。

兰州太平鼓原为棋子形平面鼓，俗称“端鼓”。相传明朝初年，朱元璋遣大将徐达、冯胜率军西征，进攻兰州。元军残兵据守王保保城，徐、冯久攻不下，运筹无策。适值元宵佳节，兰州大闹社火。徐达见情生计，乃命士兵将“端鼓”改为长鼓，鼓内暗藏利器，伪装耍社火混入城内。乘元兵观看社火无备之际，一声号令，里应外合，一举攻下城池。

为庆祝克敌制胜，祝愿天下太平，遂称此鼓为“太平鼓”，又称“得胜鼓”。

陇东山区的“一驴驮”

谢　宠

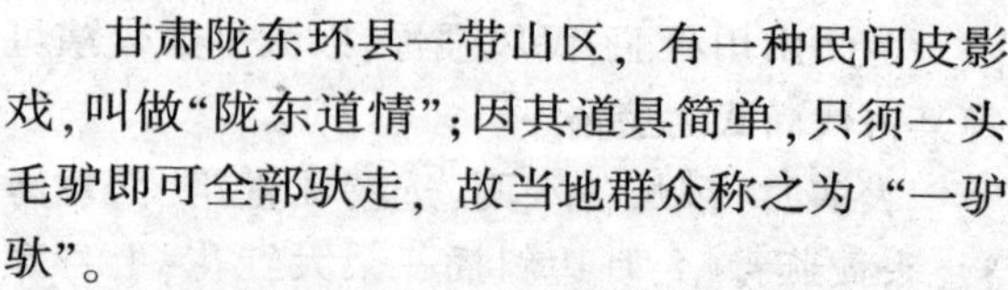
甘肃陇东环县一带山区，有一种民间皮影戏，叫做“陇东道情”；因其道具简单，只须一头毛驴即可全部驮走，故当地群众称之为“一驴驮”。

“一驴驮”上梁下沟，风来雨往地在黄土高原的山间走村串乡，轮流演出。道情艺人，大多是农民，每逢农闲季节，三五人就可组成一个演出班子；演毕即散，再演又重新组合。

陇东塬上有许多可容纳三五百人的“巨型”窑洞，“一驴驮”就在这种现成的大“剧场”演出。窑内冬暖夏凉，且音响效果极佳。演出往往通宵达旦。

这种流动戏班，深受山区群众欢迎。演毕离村时，除享受主人殷勤款待外，艺人们还可得到主人的一瓶香油、一块腊肉或一小袋白面的酬劳。

最为紧张激烈的场面是几个村民同时“抢接戏班”的争夺了。当皮影戏在一村演到最后一夜时，其他各村派出的“快手”们便悄悄地到来。当在收场的瞬间，“快手”们各显身手，争抢那面大铜锣，哪村抢到便去哪村演出。捷足先登者自然“负锣先驱”，引“一驴驮”得胜回村。这次竞争失败者也不甘示弱，重整强手，摩拳擦掌，准备下一轮的抢锣争夺战！

苏蕙织锦台与回文诗

马天彩

甘肃天水市秦城区西关有一小巷叫“织锦台”，巷口原有一座高大的木牌楼，牌楼两面，分别刻有“晋窦滔里”和“古织锦台”两块匾额。惜后毁于兵燹，现古织锦台遗址也无迹可寻。

“织锦台”乃晋代著名才女苏若兰巧织“回文璇玑图”的地方。苏若兰，原籍陕西武功，前秦苻坚时，若兰十六岁嫁秦州(今天水市)刺史窦滔，夫妻甚相爱重。后滔改任安南将军远镇襄阳，另得宠姬赵阳台，遂与若兰音讯日疏。若兰

在秦州以彩线织回文锦图，“纵横反复，皆成文章。才情之妙，超今迈古”！窦滔得图，深受感动，遂迎若兰赴襄阳。

回文璇玑图全文二十九行，每行二十九字，共八百四十一字。可以左右、上下、里外、交互、退一字、叠一字、半段顺逆、旋回诵读，均能读成七言、六言、五言、四言、三言等多种格式的诗句数千百首。

“苏若兰巧织回文锦”的故事，向为史家、文士所赞赏。唐代著名诗人李白有诗云：“黄鸟坐相悲，绿杨谁更攀；织锦心草草，挑灯泪斑斑。”宋代诗人黄庭坚亦有诗云：“千诗织就回文锦，如此阳台暮雨何。只有英灵苏蕙子，更无悔过窦连波。”

近代历史学家范文澜，在他所著的《中国通史·西晋十六国》“文学”一项中评论说：“十六国长期战乱，文学几乎绝迹。这不是说没有人作些诗赋，而是说缺少著名的作家。虽然如此，还有悲壮的《壮士之歌》和奇巧的《璇玑图诗》两篇遗留下来，也不妨说是以少为贵了。”

上述两篇作品，恰巧都产生在天水，这确为我甘肃之光荣。

曹世岳扫笔写大字

张思温

曹世岳，字柱西，甘肃省皋兰县人。1933 年任甘肃省政府民政厅办事员，曾上书省主席兼民政厅长朱绍良，自荐能写丈二飞白大字。右手能写郑板桥体，左手能写隶书。朱令将白布缝制为丈二见方的大幅，铺于庭中；又置大盆一口，用红土磨细以水和匀盛之当墨；捆芨芨草一束，用木棍扎如扫帚状当笔。届时，曹脱鞋登布上，双手持帚，二人举缸随之，挥写一大“忠”字。但见他上下进退如舞蹈焉，须臾字成，苍劲挺拔。朱见甚喜，命悬于兰州民众教育馆。余时在省民政厅任职，曾亲见之。问其学书之法，言自幼时务农，喜学书，每于场上以帚就地挥写，故能挥洒自如也。

京剧名旦雪艳琴与新砚秋

甄载明

20 世纪 20 年代，京剧名旦闻名于世。四大名旦者，梅兰芳、程砚秋、尚小云、荀慧生是也。惟前此不论生、旦、净、末，均系男性，20 年代后逐渐有坤角出现，至 30 年代坤角辈出。在作者学生时代，北平曾有坤角四大名旦之说，此四大名旦者，即雪艳琴、新砚秋、孟丽君、杜丽云是也。亦与男角四大名旦同样名噪菊坛，尤其青年学生均趋之若鹜。杜丽云赴东北大连一带演出，迄未回平。而雪艳琴、新砚秋则常在北平演出。抗战期间，雪艳琴与甘肃临潭人丁正熙结合。雪名黄咏霓，本系回族，丁亦西道堂奉伊斯兰教者也。抗战八年，丁携黄回临潭，隐居近十年。解放初期 1951 年天兰路通车典礼时，从北京请来京剧一团作庆祝演出。时任甘肃省省长之邓宝珊将军，因对京剧有偏爱，京剧名角多所熟悉，询及坤角四大名旦，始悉雪艳琴息影临潭，遂派车将雪接至兰州，参加演出。后雪即随京剧团回北京，闻任某京剧学校教练云。新砚秋名王玉琴，演出时极力摹仿砚秋，唱腔动作，酷似砚秋。北京沦陷后，新赴上海，解放后在江苏京剧团任教练。但新与程砚秋并无师承关系，且素未谋面。解放后，始与程会面，欲拜程为师，程力拒之，且曰：君已以程派著名，且已不再演出，已无拜师之必要云。

抗战时的兰州王家兄妹剧团

柴木兰

抗日战争初期,王德璋、王德谦、王德芬、王德威、王德乾兄妹五人在兰州组成王氏兄妹剧团。

王家兄妹原籍河北高阳县,后随父亲王云海(当时任甘肃榆中县县长)到兰州。他们借用甘肃省民众教育馆戏台,演出爱国救亡话剧《放下你的鞭子》,哥哥德璋扮演老汉,两个妹妹德谦、德芬扮演小姑娘和青年,演得真实感人,许多观众为之流下热泪。他们还上街张贴抗日标语、漫画,在街头演讲,教唱抗日歌曲。《打回老家去》、《大刀进行曲》等,就是由他们首先传唱开来的。

八路军驻兰办事处的谢觉哉、伍修权经常接待王家兄妹,使他们从中受到不少教益。现"八路军驻兰办事处纪念馆",还保存着一张谢老、伍修权、毛泽民、吴渤(白危)和德谦姐妹的合影。著名作家萧军,戏剧家塞克、吴渤,作曲家王洛宾等进步文艺工作者,是王家的常客。后来德芬与萧军结为夫妇。王家兄妹在兰州宣传抗日救国,这在当时的确产生了较大的影响。

1949年后,王家姐妹先后迁入北京,还与我保持通信联系。1989年德芬应邀来兰参加八路军驻兰办事处纪念馆落成典礼。

陕甘秦剧第一坤伶——朱喜凤

涂慧夫

1912年冬，陕西关中著名秦剧表演艺术家朱怡堂(艺名紫娃),带领二十余艺人来到兰州,创办了秦腔“化俗社”。此后,这个剧社存在长达二十年之久,并先后招收两批学员,共计八十余名。

当时北京出现“坤角”戏班,影响所及,各省效法,但秦腔戏班尚未开其例。朱怡堂本身虽然是一个极好的“青衣”演员,但他深感以男扮女不如女性自扮更为合适。于是公开贴出广告,招收女学生。由于一时无应招者,朱怡堂便毅然动员自己的妻子下海演戏。朱妻系兰州黄家园李姓之女,娘家对此大加反对,声称其女如果登台献艺，不得姓李。在朱怡堂的多方周旋与鼓励下,朱妻终于得以学艺,并决定改名为“朱喜凤”(观众多呼其乳名“狗娃子”),学习后正式登台演出。从此,朱喜凤打开了陕、甘秦剧界排斥女角的森严大门,秦腔各班社才逐渐有了女演员。以后,甘肃的何彩凤、萧美兰,陕西的孟遏云、苏蕊娥,宁夏的杨金凤等著名旦角表演艺术家,都继之而起,璀璨艺坛。

朱喜凤的表演艺术,做派细腻,双目传神,善于刻画各种类型的妇女性格。其拿手戏有《走

雪》(曹玉莲)、《珍珠衫》(王三巧)、《卖酒》(李凤姐)等。

王洛宾和“牧羊姑娘”

赵燕翼

1948年夏天，著名女歌唱家喻宜萱应西北军政长官公署长官、“民主将军”张治中邀请，到兰州举行独唱音乐会。我有幸挤在美龄堂闷热的角落里，叨光一次难得的艺术享受。喻女士演唱了《跑马溜溜的山上》、《老天爷》、《沙里洪巴》、《小黄鹂鸟》等许多西北民歌，其中最受欢迎的，还是那首当时被称为青海民歌的《在那遥远的地方》。记得原歌词共有四段，如下：

在那遥远的地方，有位好姑娘，人们走过她的帐房，都要回头留恋的张望。

她那粉红的小脸，好像红太阳，她那活泼动人的眼睛，好像晚上明媚的月亮。

我愿抛弃了财产，跟她去放羊，每天看着粉红的小脸，和那美丽金边的衣裳。

我愿做一只小羊，跟在她身旁，我愿她拿着细细的皮鞭，不断轻轻打在我身上。

其实，《在那遥远的地方》(或题名《牧羊姑娘》)，并非民歌；它确系作曲家王洛宾于40年代初创作的一首抒情歌曲。

王洛宾，原籍北京，30 年代中期，毕业于北京师范大学音乐系。他曾为作家萧军的小说谱写过插曲——《鳏夫之歌》和《奴隶的爱》。1938 年 4 月，王洛宾与萧军、塞克等五人自西安到兰州，寄宿在王蓬秋家。这位年仅二十五岁的青年音乐家，怀着满腔爱国热情加入“西北抗战剧团”从事抗日救亡宣传活动。因常随剧团巡回演出，有机会接触广泛流行于甘肃民间的山歌——《花儿》。以后又游历青海、新疆，从藏族草原到维吾尔族农庄，积累了丰富的西北地区民族民间音乐素材。

1941 年 2 月，著名导演郑君里到青海拍摄影片，就地邀请王洛宾饰演该片青年牧羊人。故事中另有牧羊姑娘一角，则请青海湖畔藏族部落头人的女儿扮演。三天电影拍完，那牧羊姑娘含情脉脉的动人形象，就永远留在青年艺术家心灵深处了。于是，在返回西宁途中，王洛宾高踞驼背，听着叮当驼铃声，以炽热的创作激情，向那遥远地方可爱的姑娘依依惜别，谱写了这首足以流芳百世的名曲。

美国著名黑人歌唱家罗伯逊，特别喜爱这首中国歌曲。他曾于 50 年代，带着这首《在那遥远的地方》唱遍全世界。

直到 1988 年，中国音乐家协会主办的刊物——《歌曲》，第一次用五线谱发表《在那遥远的地方》时，才正式署名词曲作者为王洛宾。

马德昌与皮影戏

侯佩玉

马德昌，甘肃平凉市人，自小喜爱皮影艺术。在他简陋的居室里，有三只大皮箱珍藏着二千五百余幅皮影作品。其中有《吕洞宾三戏白牡丹》、《铡美案》、《水漫金山寺》等中国传统戏剧人物形象；也有孙悟空、泾河龙王、钟馗等古典人物的艺术典型；还有一些民间传说中的天神、地鬼、鱼鳖海怪以及自然界的飞禽走兽、树木花草等。大至图腾灵物，小至桌椅板凳，丰富多彩，应有尽有。

马德昌珍藏的皮影艺术品，大都是明、清以来的，出自甘肃陇东黄土高原的平凉、庆阳一带，这些皮影既受陕西东路、西路皮影的影响，又保持了陇原一带的地方特色。在刻制上形体高大，工艺精细，色彩明快，装饰味浓，与陕西皮影相比，人物个性更显得粗犷奔放；在唱腔上既受陕西“老腔”、“碗碗腔”的影响，又糅以高亢圆润的地方小曲，再配以激越悠扬的秦腔、眉户等音乐，便形成了陇原一带别具一格的“道情”皮影和“影子腔”皮影两个流派。

皮影源于剪纸，马德昌小时深受母亲剪纸、刺绣的影响，从学剪纸开始，发展到刻制皮影人，七八岁时就能给村上的小伙伴表演了。近年来他把主要精力放在发现、收集民间一些皮影精品方面，常自费请向导带路，四处搜寻，足迹遍及陇原一带二十多个县市的偏僻乡村。随身所带的笔记本上，记满了有关皮影的资料。他的珍藏，多次在全国性的展览会上展出，还有不少外国朋友到平凉来观看和购买他的作品。

光绪皇帝病逝前召见达赖喇嘛

空 谷

光绪皇帝“驾崩”前，由于囚禁瀛台甚久，体弱不支，数月即未御殿会见外臣。但在逝前半月左右却数次召见十三世达赖喇嘛。

原来十三世达赖为英帝所逼，于光绪三十年(1904)六月十五日离开布达拉宫出走，先后住锡库伦(今蒙古乌兰巴托)、青海西宁塔尔寺。后来他请求入京朝觐获准，于光绪三十三年十一月二十七日从塔尔寺起程，路过兰州时住锡雷坛河(现孙家台)黄教兴远寺。十二月十三日离兰东下，经长安、太原，于次年正月十八日到五台山朝佛、暂住。

清廷对达赖进京，安排甚为周到，早在四月间即选定普静禅林为其住锡之所，大加修缮粉刷。七月底派军机大臣赴五台山邀其赴京。八月，当达赖将达保定时，派御前大臣前去“劳问”，并指派理藩部侍郎达寿、驻藏帮办大臣张荫堂在京专门“照料”。九月二十六日，光绪召见，“上御仁寿殿，达赖喇嘛呈进贡物”。

光绪赐给佛绣像、玉如意、绸缎等物。十月六日，光绪御紫光阁，召见达赖并赐宴。十月十日，又下旨在达赖原封号“西天大善自在佛”之上冠以“诚顺赞化”字样。按照惯例，形容词越长，则越为荣耀。由此可见清廷对西藏宗教领袖的重视与礼遇。

五世嘉木样活佛的革新

师 纶

坐落在甘肃省甘南藏族自治州夏河县的拉卜楞寺，是藏传佛教格鲁派六大寺院之一，寺主嘉木样活佛，世世相传。五世嘉木样活佛丹贝坚赞(1915—1947)性极聪颖，学习藏文、佛典“深广圆融，得未曾有”，亦富于进取思想，注重时代之新事物。他从拉卜楞保安司令部参谋长邵光宇学汉文。置收音机一台，日日收听新闻，令人译述。案头置地球仪，将世界各国及大都市地名，用藏文标出。时有美籍耶稣教牧师季维善住夏河，此人通藏语文，五世嘉木样常与之交往，向其探询外国情况、耶稣教义；并向其学习照相及冲洗技术，且能将照相机部件一一拆卸开来，研究其构造性能，再重装使用。他仿照汉文月份牌，编写藏文月份牌，在藏区流行使用。还曾编写一本藏文电报号码，在他赴西藏学习期间，用以与拉卜楞互通讯息。他喜欢国内外画报，欣赏其中风景及建筑物画面。他常住的菩提法苑，外型虽是藏式，室内构造及日用家具却是西式，均由他自己参照外国画报设计而成。他对音乐十分爱好，吹打拉弹，样样皆通，常组织小型音乐会，指挥家人演唱。还曾编写藏剧《松赞干布》，并督导排练，组织演出，使该剧遍传藏区各地。

五世嘉木样富于爱国思想，抗日战争期间，不仅经常揭露日寇暴行，宣传抗战，而且于1937年派代表率领由拉卜楞寺及所属各寺院、部落组成的慰问抗日前方代表团，携锦旗及慰劳品赴各战区慰劳。1940年捐资购置飞机三十架，支援抗战。

五世嘉木样于1944年秋创办喇嘛职业学校，自任校长，聘请具有近代知识、通晓藏语文的人任教师，挑选优秀青年喇嘛一百人入校学习，开设算学、国文、常识、纺织专业等课程。这也是开风气的先例。

以上诸事，笔者多闻之于全国政协常委、甘肃省政协副主席黄正清。黄系嘉木样五世嫡长兄。

天祝藏族赛马会

赵世英

1984年秋，我参加甘肃省天祝藏族自治县起草自治法条例时，适逢该县在乌鞘岭脚下的札喜秀龙草原举行一年一度的藏民“赛马大会”，即应邀参观。在赛后颁奖时，夺得第十三名者，除应得奖品外，另奖一条洁白的哈达。纵观世界任何比赛，名次越前，奖励越多；为何藏族赛马会独重奖第十三名？

据传，唐代文成公主进藏与松赞干布成婚时，正值仲秋，松赞干布决定举行一次隆重的赛马会以迎接公主的到来，更请文成公主为赛马会的主持人，他自己也参加了比赛。结果，松赞干布得了第十三名，文成公主为感谢松赞干布的盛情，决定将赛马会的名次取到第十三名，公主并将一条洁白的哈达和自己最珍贵的礼物奖给了松赞干布。从此，沿为定制，流传至今。

赛马分奔马赛与走马赛。奔马赛主要是赛速度，谁快谁胜。而走马赛除了速度外，关键是比走得好，俗称“走马”。无论是那一种赛马，都取前十三名。凡取得名次者，分别奖给龙碗、红绸、砖茶，给赛马披红挂绿。对第十三名，则另奖一条洁白的哈达。所以得第十三名的赛手，显得比第一名更为荣耀。

赛马会在西北藏民聚居区均定期举行，青海门源一带称“俄堡会”；甘南北山一带称“跑马节”。届时附近的藏、蒙、土、回、汉等族群众盛装参加。除赛马外，还举行拔河、摔跤、耍龙灯、唱花儿等娱乐活动，热闹非凡。

近代伊斯兰闻人喜读儒学

师 纶

近代甘肃伊斯兰教闻人，不少有深厚的儒学根底，常能流于语言，形诸笔墨。

马启西(1857—1914)，临潭西道堂(回教派别)创始人。如他写的对联中即有二幅是：

居广居，由正路，方能保元气；
友良友，亲明师，不啻坐春风。
名实兼收，不独润身还润屋；
经营俱到，真能成己更成人。

马元章(1853—1920)，哲赫忍耶教派的复兴者和发展者。他常以孔孟语言导人修身济世。如：

事上以忠，交友以恕；
攻己宜厚，责人宜薄。
格物致知，清心显性岂云易；
作忠尽孝，成仁取义尚曰难。

尽心尽力，先公后私可谓忠臣；

有谋有勇，以予为取方为智士。

马福祥(1876—1932)，以清总兵入民国，曾任国民政府蒙藏委员会委员长。他积从政多年的体验，于1927年写了一篇《诫子侄书》，申所诫八条，大要云：一曰守家风："传家之道，唯耕与读，其次商贾工作"；二曰勤学问："孔子之昭弟子也，孝悌谨信爱众亲仁为要务"；三曰修职业："大而报国防边，小而持家理纪，公而地方善举，私而家室经营"；四曰崇礼法："凡一家之中，必有礼法以为根本，循之者未有不兴，悖之者未有不败"；五曰尚节俭："或量入以为出，或移缓以救急，要使十分之中常余存二三分"；六曰存忠厚："人人抱忠义之心，事事从厚道之想；己立立人，己达达人"；七曰慎交游："友直谅可以寡过，友多闻可以进德"；八曰遵教典："吾教认主独一，尽性复命"。

马鸿宾 (1884—1960)，30年代即任师、军长，并先后任宁夏、甘肃省政府主席。1949年与其子马惇靖率所部八十一军于中卫起义，该部改编为人民解放军西北独立第二军。马鸿宾先后任西北军政委员会副主席、甘肃省人民政府副省长。1950年春，马以"老军长"身份到中卫看望起义不久的部队，集合军部干部、战士聆听其讲话。马氏开宗明义第一句便是"苟日新，日日新"，听者方愕然，马氏接着侃侃讲述部队起义之正确性以及如何改造自己"与时俱进"的必要性。这些话，与起义官兵之思想状况甚为合拍。按"苟日新，日日新，又日新"，原系古器"汤盘"铭文，曾被儒学经典《大学》一书作为三代古训引用，遂成后世儒家重要信条之一。当时笔者适在听众之列，至今犹记声若铜钟的"苟日新，日日新"。因那时尚无使用扩音器的条件，马氏不得不运用丹田气力高声呼喊。

东乡族婚俗

马自祥

甘肃东乡族的婚礼中，有不同于其他兄弟民族之处，兹举其有趣的两例。

揍新郎

在婚礼的这一天，新郎和陪客到女家娶亲时，女家的邻人，主要是青少年们，总是想方设法要"惩罚"新郎和陪客。这种"惩罚"表现在如用土块打、柳条抽(打)、甚至用棍棒打，或惊吓新郎和陪客的骑马，使其摔下马来。即便是身体受伤，新郎和陪客也得向"惩罚"者们求情下话，赔礼道歉。求情赔礼的主要方式是每人说一个"赛俩目"，或是给象征性的"乜贴"(施散一点小钱)。此时，新郎和陪客愈乖巧灵活愈少吃亏，否则一

轰而起，真的挨一顿揍也有可能。所以新郎和陪客往往一到女家，情绪就很紧张。一念完“尼卡”(阿訇给新郎、新娘念证婚的经文)，不待吃女方家的宴席，便溜之大吉。

如今，这种习俗，尚存在一些东乡族聚居的边远地方。

砸枕头

在新婚之夜，新郎村里的青少年及亲友们，都要来闹新房砸枕头。这时陪送新娘的“苏还赤”(伴娘)以及前来参加婚礼的妇女们，在炕上紧紧地护围新娘，所有闹房的男人，则千方百计地找寻缝隙，摔枕头、砸新娘。于是绣花方枕头扔过去、砸过来，像炮弹一样飞来飞去。小伙子们高声吆喝着，向炕上猛冲，被那堵“女儿墙”左拦右挡。所以开始时很难砸到新娘身上，待到女方渐渐招架不住时，才迫于无奈，让新娘拂去蒙面的头纱，站在炕上，给人们“亮相”，并让男人们看箱笼里的嫁妆。闹新房争斗，才偃旗息鼓，尽欢而散。

糌粑的吃法

王沂暖

糌粑是藏族一日三餐不可缺少的主食,汉族称“炒面”。糌粑的制作方法,是先把青稞炒熟,然后再磨成粉面,有时还加上炒熟的豌豆、胡麻、莜麦之类一同混磨成粉,味道更好。吃的时候,用煮好的茶水,加上盐巴,再将黄油(即酥油),加入茶水中融化。茶水喝成半碗后,再加上糌粑面,用食指至小指四个指头拌和到相当干度时,再用手掌捏成团块,如点心一样食之。它虽用手,却不同于吃抓饭。这种吃法,异常香美,且富营养,确是藏族人民的主食和招待客人的最佳美味食品。

夏河县的尼泊尔人后裔

张尚瀛

甘肃省夏河县拉卜楞镇的大尔卡加村,住着十三户尼泊尔人的后裔,他们的家族是:大贡保杰、周毛加、扎勒玛、老斋、小贡保杰、拉毛杰、勒尕、才让扎喜、桑考、小尕卜藏、当知布加、桑吉加措、尕斋等。目前只有七十余人。当地藏民呼之为“吾瓦仓”(意为尼泊尔人家。)

据考,18世纪末,拉卜楞寺嘉木样董·季素旺吾遵照第六世班禅华丹盖西的法旨,根据后藏地区仁钦宗的弥勒佛殿样式,在拉卜楞寺大经堂的西北角修了一座弥勒佛殿,即今日的寿禧寺。此殿共高六层,纵深各五间。最高层为宫殿式方亭,四角飞檐雕栋,上覆鎏铜瓦,故名大金瓦寺。

这座藏族的佛寺建成后,嘉木样二世特从尼泊尔礼聘数名有铸佛技巧的金属高手,前来拉卜楞寺,起炉铸造高达八米的鎏金铜质弥勒大佛像,供养其中。这些工匠来拉卜楞寺后住在夏河县的“他洼”(在寺之东,今称之为个尔浪洼)地方。清乾隆五十六年(1791)金瓦寺建成之时,也正是大弥勒佛铸成之日。而这批来自邻国的能工巧匠们,爱上了拉卜楞这块美丽富饶的地方,乃落户于大尔卡加村。

目前这些尼泊尔人,已取得了我国国籍,成了我们亲爱的同胞。当地藏、汉各族和他们团结友爱,亲密融洽。他们的衣、食、住、行等风俗习惯,已基本上同于拉卜楞的藏族。

莽 秤

赵世英

1925年8月，甘肃省定西县巉口镇秦安国之子秦恭于放牧时，发现出土“新莽权衡”古铜器文物八件，俗称“莽秤”，为我国度量衡实物在甘肃最完整的发现。其中五件有扁圆形状的铜环，名曰“权”；有两件扁圆形状的长方条，一叫“衡杆”，一叫“柱”；另一件叫“铜衡钩”。最大的权重59.9斤，最小的重14.6斤。大权和衡、柱上铸有小篆铭文，最大的一权，一面铸有“律权石重四钧”六字，另一面铸有八十一字铭文：“黄帝初祖，德匝于虞，虞帝始祖，德匝于新。岁在大梁,龙集戊辰。戊辰直定,天命有人,据土德,受正号即真。改正建丑,长寿隆崇,同律度量衡。稽当前人,龙在己巳,岁次实沉,初班天下,万国永遵,子子孙孙,享传亿年。”

王莽篡权,立国号“新”。“新莽”政权对全国度量衡作了统一规定。莽秤的发现,对于研究我国度量衡的演变和史学、金石学、文字学、冶金铸造技术等,均有极为珍贵的实物史料价值。

莽秤发现后,遂由故宫博物馆收藏。其中一柱、一钩、三权被国民党政府运往台湾,现北京中国历史博物馆仅藏一衡、二权。

泾川王母宫

王克江 曹 恭

王母宫是甘肃一大道教圣地，自古声名甚著。1990 年 11 月,台湾省道教信仰西王母的朝圣团二百余人来到甘肃泾川回山朝圣，实地瞻仰朝拜,并在回山下举行了盛大的祭奠仪式,确认这里是西王母的发祥圣地。

王母宫位于泾川县西一公里许的回山中。据说当年周穆王与西王母宴会此山“瑶池”之上。当穆王告别西王母时,依恋难舍,三步一反顾,五步一回头,凝望此山之中,故名“回中山”。后修宫塑像以祠王母,又名“王母宫山”,简称

"宫山",现在遐迩通称"王母宫"。

王母宫建于汉武帝元封年间，至北魏宣武帝永平时,开凿石窟,增修寺殿。历唐、宋、元、明、清各代,均有修葺扩建,规模宏伟。山上一天门、二天门、三天门三大组殿宇,以王母大殿、周穆王庙、汉武帝庙、玉皇大殿、三清楼、晓钟寺、望河楼、旷如亭、阆风岭等建筑最为精致壮观,颇具道教观堂特色。山之南麓,有一浅沟,聚水成池,池约丈二见方,人称"瑶池",池边有亭,绿树四合,景色秀丽。相传即西王母与周穆王宴会处。杜甫诗中"西望瑶池降王母"之句,当指此。

山中古建筑,屡经兵燹战乱,屡建屡毁。仅从宋真宗咸平元年(998)到元、明、清三代所立碑、铭记载,重修达十六次、立碑题名计十二次。这些碑记中,以宋人陶谷《重修王母宫记》比较翔实。明代彭泽《重修王母宫记》亦简述修葺大意。现在山中古迹,仅存北魏石窟、金完颜永济大安三年(1211)铁钟,还有晓钟亭等。

中华人民共和国成立后，人民政府十分重视文物保护,将王母宫列为省级文物保护单位,并拨专款进行修饰,现已开放为中外旅游胜地。

前人对王母宫吟咏诗、词、楹联很多,其中颇不乏佳作。如王母宫(二天门)联云：

翠柏赤松,月明瑶岛三千界；

琳宫见阙,花满玉楼十二重。

唐代著名诗人李商隐诗云：

瑶池阿母绮窗开,黄竹歌声动地哀。

八骏日行三万里,穆王何事不再来。

明代兵部尚书兰州彭泽七律一首云：

宫祠王母翠微头，周穆曾驰八骏游。
金碧积层台殿古，云霞萦绕篆烟柔。
蟠桃留树知何处，老树无枝可耐秋。
千载回中传故事，荒亡不道古人忧。

近代名书法家于右任，兴游回中山时，曾书一联云：

千年气接文孙驾；
万里云开王母宫。

可见王母宫在当时已成了引人入胜的游览圣地。

南石窟寺杂记

赵燕翼

南石窟寺位于甘肃泾川县城东十五华里泾河北岸，系北魏宣武帝永平三年(510)泾川刺史奚康生所营造，有洞窟两座及大小石造像四十余身，保存基本完好。这不能不归功于当地百姓尽心卫护，才避免了“昭陵无端六骏碎，云冈不翼佛头飞”的恨史重演。

参观过敦煌莫高窟的游人，都记得有个名叫兰登·华尔纳的美国人，于本世纪20年代初，曾经用特制胶布，粘去《汉武帝遣博望侯张骞使西域迎金佛》等初唐壁画多幅，并搬走一尊盛唐半跪势彩塑菩萨。

1925年初夏，华尔纳二次来到中国，雇用十四辆马车，由队长杰尼率领，沿丝绸大道向敦煌进发。4月24日路过泾川，欲在南石窟寺小试其技，却被当地群众轰走。

这一段发生于六十余年前的往事，有些年长的泾川人记忆犹新。1982年春，我到南石窟寺考察文物时，曾向居住在近村的蒋思聪等几位老人探询得悉事件经过详情。当时洞窟原无专人看守，洋人乘三辆席篷马车前来，未经任何人允许，径自钻入佛窟，用刀斧剥离后期加塑于石造像外廊的泥胎。为山坡上放牧的羊倌发现，遂鸣锣为号，将上下蒋家、王家沟、何家坪、凤凰庄、纸坊沟等六村村民召来。一时群情激愤，怒斥洋人毁坏佛像之罪，吓得杰尼先生冷汗直冒。最后，由“通事”出面赔情道歉，请派群众代表同到县城，赔偿大洋六十六元，为佛重塑金身，这场风波才告平息。

群众所称的“通事”，乃北大学者陈万里先生。当时他随美国人去敦煌进行考察，不料远征队刚踏入甘肃地界，就碰了一鼻子灰。两年后，陈先生出版了一本《西行日记》，关于泾川历险情节，书中有所记叙。

刻有永平纪年的石窟寺碑，现存泾川县博物馆。据该馆老职工王绍周说，此碑原在石窟，因碑文书法精妙，为某天主堂瑞典修女所觊觎，阴谋盗往国外未遂，始被当时泾川县知事廖元佶移入文庙保管云。碑原石高2.25米，厚17厘

米,宽1.03米。碑额隶书阳文“南石窟寺之碑”六字,朴茂刚劲,韵味深长。碑文魏体正书六百余字,被时人誉为“书法瘦硬通神,风采奕奕”。“足以奴视张黑女,弟畜郑文公”(“张黑女”、“郑文公”皆著名魏碑碑帖),颇受碑帖收藏家所珍视。可惜移碑人无知,将雕有美丽装饰花纹的碑头,弃置洞窟角落多年不顾,却被陈万里先生顺手牵羊,用毡子包裹塞到席篷车上,安然携往北京大学,藏于国学门考古学会,不知今日下落如何?如原物尚在,理应完璧归赵。

郭元亨保护象牙造像

张尚瀛

郭元亨(1896—1976),俗名永科,甘肃省高台县南村人。1927年流浪安西县著名石窟寺万佛峡,拜道教住持马荣贵为师。师徒开荒百余亩,自食其力。荣贵藏有象牙佛像一尊,1944年经中央研究院西北科学考察团历史考古组夏鼐、向达、阎文儒等人考证,认定此像为印度恒河上游犍陀罗佛教雕品,雕制时间约在巴拉胡提王朝——相当于中国初唐时期。考古家命名为“象牙造像”。后为匪徒侦知,胁迫荣贵交出此像,烤烧濒死,荣贵坚决不从。匪去,贵临死将雕佛埋藏地点告诉元亨。

中华人民共和国成立后，郭元亨被聘为安西榆林石窟（即万佛峡）文物保护组组长，于1950年自动将埋藏多年的象牙造像捐献给安西县人民政府。1954年由安西县人民政府移交甘肃省文物管理委员会，1956年再转交甘肃省博物馆，1958年甘肃省上交中国历史博物馆永久珍藏。1984年12月，中国历史博物馆以复制件交安西县博物馆保存。

最早保护敦煌文物的官员

师 侃

敦煌文物的破坏者、劫窃者，人们知道的不少，但对其保护者，则知道的不多。本文介绍一位最早保护敦煌文物的官员，他就是周炳南。

周炳南，字静山，甘肃临洮人。清光绪末年秀才，毕业于保定陆军军官速成学堂骑科，在甘肃军第三标(后改称忠武军)周务学部任管带。民国二年(1913)，周务学任安肃道尹，周炳南部移驻酒泉，1919年周以肃州巡防第三营营长率部驻扎敦煌。

苏联十月革命成功后，1920年9月沙皇白军残部九百余人逃窜到我国新疆境内。新疆督军杨增新恐其日久滋事，扰害地方，即电请北京政府，将其中原沙俄七河省军区中将司令阿年科夫及所部三百余人迁至甘肃。甘督陆洪涛令将其安置于敦煌莫高窟，并责由敦煌县政府供给生活等必需用品。

数月之后，当地居民发现这些远来者在洞窟中生火造饭，熏黑许多精美的壁画，肆意破坏佛像雕塑，并在壁画上乱刻乱画，破坏文物，引起人们的愤慨。周炳南出自保护祖国文物的爱国心情，乃会同县政府报请省署，建议速将俄人迁出，另作安置。同时，将各洞窟逐个检查，编写号次，派兵巡察，进行保护。周所编之洞号，沿用至今。此当是我国官员中对敦煌文物的最早保护者。

周炳南还维修了敦煌月牙泉等名胜古迹，并撰有诗文二卷。其手书墨迹在酒泉、敦煌等地流传甚多。

朱绍良销印记

张尚瀛

民国时期，国民政府文官处设有印铸局，专门铸造全国县级以上政府印信、关防。其式样、字体、大小，皆有明文规定之规格。每次颁发或换发新印信、关防时，必须将旧印信、关防切角拓模逐级呈缴报废。

1937年至1940年，朱绍良任甘肃省主席时，靖远县张慎微任省政府秘书处法制室主任，朱绍良命张将库存历代报废印信，过秤销毁。张奉命后，从库房提出各种截角报废银、铜质印信、关防一百多颗，其中以民国十六年(1927)以前县知事更换县政府铜印居多，余为省政府各厅、处、局、司报废之铜印，还有明、清时银质遗印数颗。张将所有印信、关防分银、铜过秤，然后一一各拓模两份，一份交省府备案，一份则保留私存。张慎微将这批报废物亲送兰州市萃英门内造币厂，监督销融。将所销得的银、铜交省财政厅收存，方结案了事。

其实，印信乃极有价值的文物，化为乌有，良堪可惜。张慎微私存之一份印模，在“文化大革命”中也被抄毁。

渥洼池与天马

甘 农

汉武帝毕生好马，除得乌孙等骏马外，还在渥洼池得一“天马”。《汉书·武帝纪》载：“元鼎四年(前113)秋，马生渥洼水中，作《宝鼎天马之歌》。”

“天马”的来历，据《汉书》、《资治通鉴》记载：汉武帝时，南阳新野有一名暴利长的小官，因犯罪被流放敦煌屯田，在渥洼池畔牧马。他常见一异常英骏的野马，与群马来渥洼池饮水。欲接近此马时，则逃之无影无踪。暴利长便做个假人，穿戴其本人衣冠，手持勒绊立于池畔。野马初见时仍远逃，日久天长，对假人习以为常，不再躲避。他便以自身代替假人，手持套马杆，立于原处。乘野马饮水不备之时，套住了野马。又诡称此马是从渥洼池中跳出来的，称为“天马”，献给汉武帝。汉武帝信以为真，乃下“宝鼎天马诏”赦暴利长无罪，并予以升擢。

考渥洼池乃今敦煌市南湖乡之“黄水坝水库”，又名“阳关水库”。该处在汉代称渥洼水，又称渥洼池，唐代称寿昌海。据史料记载：“源出县(指敦煌县)南十里，方圆一里，深浅不测，即渥洼水也，长得天马之所。”后有人疑月牙泉即渥洼池。清代有好事者，据“宝鼎天马诏书”中“元鼎四年六月，得宝鼎后土祠旁。秋，马生渥洼池中，作宝鼎天马之歌”以及“渥洼水出马，朕其御焉”之类的记载，在月牙泉边立“汉渥洼池”石碑。又有形容月牙泉出天马诗句云：“四面风沙飞野马，一潭云影幻游龙。”从此，以讹传讹，遂将月牙泉误为渥洼池。

兰州水车

牟万钟

兰州水车，又名“天车”、“翻车”、“灌车”，为一种巧妙利用自然能源的提灌工具。其形状恰似一巨大双层车轮，由轴心安插并排辐条，条条向外辐射。轮辐直径高达十米以上，轮缘装叶板，以利水流助推，并等距斜挂长方形水斗；当修筑于河边的引水沟水流冲动车轮叶板时，车轮即缓缓转动，将河水一斗斗提升至高空，然后倾入木槽，汇集成一股源源不断的溪流，昼夜不停，绝胜人力，用以灌溉田园。每轮水车以其大小，可灌地百亩至数百亩不等。具有省力、省钱、好管理的优点。

兰州水车为明代邑人段续所创立，至今已历四百余年。段续，字绍先，兰州段家滩人，明嘉靖二年(1523)癸未科进士。段在云南任官时，见当地农民用筒车提江水灌田，即详察其构造原理，绘制图样。晚年辞官归里，遂按图仿制，经多次试验修改，终于付诸实用。因其经济实惠，于是大行于兰州黄河沿岸民间，据统计，至本世纪40年代末期，上溯青海贵德，下达宁夏中卫，装有水车三百轮之多。受益农民，其功甚大，成为黄河一大景观。原甘肃省官钱局发行的钞票票

面上,就印有兰州水车图案。至今兰州仍有“水车湾”、“水车园”地名。

近三四十年来,随着市区扩展,城郊耕地减少,电力提灌普及,水车遂被淘汰,至今仅存于河口附近一处。故“金城宾馆”特在一楼大厅仿制水车模型一轮,用电力驱动,供旅游者观赏,也算是聊胜于无了。

兰州何时有公园

尚 瑛

清光绪四年(1878)前后,左宗棠督甘,住在明肃王府(今甘肃省人民政府)内。左和湘人名士郭嵩焘从往至深,二人书信往来无间。一次郭给左写信说:“目前西方各国都市,皆有公园之设,供市民游览,官民同乐。兰州为陕甘总督驻节之地,可仿西方开辟公园,以庆升平。……”左采纳了郭的建议,于是年四月定期开放“节园”(今中共兰州市委驻地),任市民游览。并许从北城墙上,西至西城门,东至东城门为游览区。

“节园”原为明肃王时所建的“凝熙园”。园内亭台楼榭,花木葱郁,北滨黄河,风景优美。园中有一“饮和池”,用“火轮机器(曰吸水龙)吸取黄河水入城,过园积池,使之澄清,供城内居人食用”。左在园内还“备香茗”,置“瓷碗百余,供游者解渴”。

当时兰州市民闻讯后，喜笑颜开，扶老携幼，争往参观游览。不久左离甘，此园又为禁域。宣统元年(1909)秋八月，毛庆藩督甘，效左故事，又开放此园，但门卫森严，游人多为却步。

杨昌浚咏左公柳诗正误

袁第锐

杨昌浚，湖南湘阴人，秀才出身。清同治中，选佐湘军戎幕，因左宗棠之不次超拔，得任陕甘总督。旋于浙江巡抚任内，以涉杨乃武与小白菜案挂误去职，后由左宗棠屡荐，清政府于光绪四年(1878)四月，令杨昌浚以四品顶戴帮办甘肃、新疆军务。杨在陕甘任内事迹不显，《清史稿》中无传。独具以《恭颂左公西行甘棠》命题之七绝一首，脍炙人口，迄今不衰。诗云："上相筹边未肯还，湖湘子弟满天山，新栽杨柳三千里，引得春风度玉关。"原诗载清人《河海昆仑录》中。含蓄蕴藉，韵味无穷，时人莫之与京。第后之引用者，往往不察原意，一误再误，甚或任意篡改，诗意全失，良可慨也。引者于首句或书为“大将筹边尚未还”(秦翰才:《左文襄公在西北》，商务印书馆版)；或云“大将西征尚未还”或“大将西征人未还”，于第二句或云:“湖湘弟子满天山”，均误。盖当日左季高之西征也，非特着眼于军事之底定，尤重视边陲之长治久安，故曰筹边。审是，则“西征”未尽其意，故将“筹边”改为“西征”，实谬。此其一也。诗曰“颂甘棠”说明乃成于左氏离任之后，而非西征之时，自以“筹边”为宜。若云西征，则其时固已还也。故不论“尚未还”或“人未还”均无以自圆其说，此其二也。诗云:“上相”者，以左氏于光绪七年(1881)曾任军机大臣，此位通称为相。当其西征之时，则尚未荣膺斯职，故惟有“上相”之称，乃与“甘棠”之说相副，若改“大将”，殊非昌浚口吻，此其三也。“尚未还”或“人未还”，仅足说明时间，必用“未肯还”始能说明左氏之抱负，若用前者，非特不符左氏史实，亦绝非出自左氏门下之杨昌浚歌颂其长官之所宜，此其四也。至于以子弟改为“弟子”则尤谬。盖“子弟”与“弟子”大异，“子弟”谓“战士”，与项羽之八千子弟同义，因左氏筹边之时，湘军多留新疆屯垦，迄今其后裔犹在，故曰“满天山”。若易为“弟子”，则其意甚狭，奚取于当时之事哉！

甘肃第一长联

胡孝宏

清朝以死谏慈禧太后为穆宗(同治)立嗣的吴可读(1812—1879),字柳堂,甘肃皋兰人。道光三十年(1850)庚戌科进士。生前曾两度主讲兰山书院。

光绪元年(1875)甘肃举院在兰州落成,吴可读为新举院撰写了一副一百九十二字气贯长虹的长联。联云:

二百年草昧破天荒,继滇黔而踵湘鄂。迢迢绝域,问谁把秋色平分?看雄关四扇,雉堞千寻,燕厦两行,龙门数仞,外勿弃九边桢干,内勿遗八郡梗楠。画栋与雕梁,齐鲲耀于铁马金戈以后;抚今追昔,饮水思源,莫辜负我名相怜才,如许经营,几番结撰。

一万里文明培地脉,励井鬼而指斗牛。翼翼神州,知自古夏声必大,想积石南横,崆峒东矗,流沙北走,瀚海西来,淘不尽耳畔黄河,削不成眼前兰岭。群山兼众壑,都奔赴于风檐寸晷之中;叠嶂层峦,惊涛骇浪,无非为尔诸生下笔,展开气象,推助波澜。

此长联可与昆明大观楼、贵阳甲秀楼、成都望江楼、四川青城山等处之长联媲美，堪称甘肃第一长联。

清末金县诗人张浚濂

萧梓殷

张浚濂，字又溪，世居金县(今榆中县)青城上牌村。父兄均擅长书画。浚濂幼受熏陶，聪颖好学，才思敏捷。清光绪五年(1879)己卯科中举，光绪十六年(1890)庚寅大挑二等，署灵州(今宁夏回族自治区灵武县)学正。著有《栖云集》，已散佚；今存诗二十首，见于《青城诗钞》，中多清新可诵之作。如《邯郸游卢生词》：

三次长安挟策游，三回落第返秦州。
自知未了尘缘事，不向先生借枕头。

“三回落第”，盖纪实也。虽不无感慨，但以淡泊出之，却有不达目的不止之热忱，跃然纸上。《樊川吊杜牧之二首》云：

尾大中乾国事繁，内由阉宦外强藩。
此身自作诗人好，何必金门上罪言。

廿四桥头皓月圆，扬州无梦不缠绵。
青楼有酒朝朝醉，落魄何妨再十年。

借凭吊杜牧，揭露清政府的腐败沉湎，致使爱国

之士报国无门，激愤不已。如果说这是借喻和隐喻，下面的《铁船歌》则是直抒胸臆了：

昔闻吏谩仙游宰，讽以铁船渡大海。
只道一时设言耳，那知世人真有此。
西洋船舶来中华，以铁裹船如裹车。
明石暗礁都不惧，冲风破浪穹幽遐。
世间万物理自在，见理不真反愕怪。
公输木鸢忽翱翔，孔明流马能负载。
苟能利用而卫人，奇技淫巧何足戒。
我欲铸尽铁山三千九，制成巨舰波心走。
飙风激水去如飞，分置东西扫群丑。
噫吁嘻！圣人之道贵善因，即以其道制其人。君不见沙丘主父真豪杰，胡服骑射靖边尘。

此诗所反映当时爱国志士之心态，甚为典型，亦时代之烙印也。张浚濂曾得当时之甘肃学台蔡京台之赞赏，名重于时，惜年未满四旬即辞世，论者惜之。

《同人咏春集》管窥

王勋业　王勋成

刘尔炘《果斋续集》收有《咏春》七绝二十首，这二十首分春意、春怀、春思、春愁、春梦、春色、春信、春声、春光、春怨；寻春、探春、迎春、游春、怀春、买春、惜春、留春、送春、忆春二十题。其实，写《咏春》二十题者，非刘尔炘一人，实乃八人所咏，这八人是：果斋、松岩、叔美、韧斋、守仁、晓葵、葆千、象三。他们每人二十首，共一百六十首，后人辑为一集，题名《同人咏春集》。这些诗从表面看似乎仅是吟风弄月、无病呻吟之作，但若与当时的时代背景联系起来看，便会发现它是有言外之旨的。

1911年，辛亥革命爆发，陕西响应。时陕甘总督长庚、陕西巡抚升允为保清室，组织甘肃东征军去攻打陕西义军，刘尔炘亦募得三百余“志果军”。1912年3月长庚、升允见大势已去，乃撤回东征军，刘尔炘的“志果军”也随之遣散。时正是旧历壬子年正月初春。刘尔炘遂以《咏春》为题抒发了自己怀念清朝，不忍“春”去，而又彷徨迷茫的惆怅心情。请看以下二首。

(一)

廿番风信太荒唐，报道横戈万丈长。
打破苍天须要补，人间何处觅娲皇。

——春愁

(二)

一样莺啼燕语天，今年浑不似当年。
五更惊醒唐虞梦，听到心头便惘然。

——春声

同咏七人，亦有同调。如韧斋“忆春”诗云：

画眉整日锁秋波，人与青春共几何？
细数新愁兼旧恨，今年尤比去年多。

守仁“游春”诗云：

纷纷野马扑衣襟，看遍郊原兴自深。
无奈风云成异色，归途转觉太伤心。

晓葵“怀春”诗云：

采薇兄弟圣之清，忘却西山春草生。
遗事留传千载后，今人高慕古人情。

松岩，即王树涛，字松岩，甘肃皋兰人，清辛卯(1891)科举人。曾任清水县知事。守仁，即聂守仁，字景阳，甘肃民勤县人，清末廪生。后曾任《大河日报》主笔，《甘肃民国日报》、《新陇日报》主编。葆千，即白鉴真，字葆千，皋兰人，光绪戊子(1888)科举人。晓葵，姓何，其生平不详。叔美、韧斋、象三待考。

某些念旧的士大夫，抵制革命是必然的。这也是“诗言志”吧！

孙中山为黄文中译书题词

张德方　黄伯伦

黄文中(1890—1946)，字中天，甘肃临洮人，同盟会员。1917年留学日本，获东京明治大学政治经济学士。课余翻译日本植原悦二郎教授所著《日本民权发达史》，计30余万字。黄曾携译稿面谒孙中山先生请教，中山先生为之亲笔题词："世界潮流，浩浩荡荡，顺之则昌，逆之则亡。"成为传诵千古的名言。后大总统黎元洪亦为之题署"观国之光"四字。时任司法总长的江庸并为作序，又经戴季陶校订，于1925年由上海商务印书馆出版。中山先生题词锌版，久藏临洮黄文中家中。在"文化大革命"期间，此件及文中诗文手稿，均毁失无存。黄曾任兰州各中等学校教员，省教育厅第一科科长。1924年因宣传民主自由抨击军阀专制，为甘肃督军陆洪涛、陆部旅长黄得贵所忌，唆使暴徒于兰州安定门外加害，头破齿落，经医院抢救，幸免于死。当时，社会舆论震动极大。后黄撰写诗联，自称"陇上再来人"。

杨成绪巧对讽弊政

李德文

杨成绪(1831—1919)，字绍文，又字绍闻，甘肃武威人。为人聪明旷达，恃才傲物，有"凉州怪杰"之称。光绪二年(1876)丙子科岁贡生。后应乡试，因他为文不遵守"八股"章法，所以屡试落第。从此绝意科名，甘为布衣。一次，县衙六房师爷在衙前作对联为戏，一人出上联为："吏、户、礼、兵、刑、工，六房六位案总"，恰杨成绪路过，应声而对:"马、牛、羊、鸡、犬、豕,一圈一路畜牲。"六位"稿爷"无言以对。而他还觉没有痛快,欲走又回首道:"稻、粱、黍、麦、菽、稷,一仓一类杂种。"说完扬长而去。

清末武威农民抗暴首领陆富基、齐飞卿先后被害,杨成绪为文致祭,称他们为"英雄"。后有反映齐飞卿、陆富基造反事迹的"凉州贤孝"《鞭杆记》,据云乃杨成绪所编。"贤孝"是一种民间曲艺,多为盲艺人演唱;《鞭杆记》在武威城乡流传甚广,所述官逼民反故事家喻户晓。

刘凤来《滕鹤轩日记》

李鼎文

刘凤来(1861—1921),字贻我,甘肃武威人。清光绪十九年(1893)癸巳恩科副贡生。工诗、善书。著有《滕鹤轩日记》十余册,都用小楷书写,十分工整。内容有读书心得、师友谈话、地方要闻、国事述评等,保存了大量的地方史料。他作的许多诗、文,也收在日记里。抗日战争前,临洮张鸿汀(维)曾来函索阅《唐弘化公主墓志铭》的有关资料。我当时即抄录了《滕鹤轩日记》一则,还有先兄酝班(鼎超)写的墓志铭跋文一并寄去。后来印入张著的《陇右金石录补》。《滕鹤轩日记》云:"民国六年(1917)十一月二十二日,贾杏卿来云，得知《唐弘化公主墓志铭》发现于南把截山下。次日往观之，志石高广各二尺，字大如指，吴兴姚略撰文。公主为淮阴王李道明之女，下嫁青海国王勤豆可汗慕容诺曷钵。武后时，赐姓武。圣历元年(698)五月三日卒于灵州私第，卜葬于凉州南阳晖谷冶城之山冈(即今南营青嘴湾磨嘴子村北的山上)。墓高十数丈，因山起坟。牧童樵夫因旧穴凿之，遂得今墓。以火照之，衣冠灰烬，骸骨犹存。壁绘女乐十二，又有木雕驼、马数事，古拙森动，想见当日葬礼之周也。”这是《唐弘化公主墓志铭》出土后最早的文字记载，是难得的珍贵资料。《滕鹤轩日记》全部稿本，我曾交还刘先生的次子，不幸在“文化大革命”中全部遗失。而今在《陇右金石录补》中看到的这一百多字的文字，要算是这部日记的仅存片段了。

李则广妙书庆寿匾

王秉钧

李则广，甘肃伏羌县(今甘谷县)人，清乾隆时进士。自幼聪颖过人，过目成诵；博通经史，文思泉涌。性简傲，不修边幅，雅慕古代狂士风范，自号旷代；后经江南一名状元某公指点，易号为旷西。

旷西成进士后，作了几任县令，乃辞官闲居故里，以读书著文自娱，傲啸林园，不与官府往来。书法精进，自成一家，尝自制楹联匾额，悬于邑之名胜古迹。字画不肯轻易赐人，惟酒后有兴，只要非官府与富豪，即挥毫赐与，不取分文。某一衙吏，为显门楣与其父庆寿，转托旷西至友某以五十两纹银重酬求一匾额，旷西欣然应诺，妙书“体恳超敬”四字予之。观者咸赞赏其书法绝妙，惟独不明其意。同年某问曰：“年兄墨宝，从不轻易予人，何竟以文匾赐一衙吏?县人对此颇有赘言；且文意华饰，无乃有失名士风度?”旷西云：“他以重金五十两纹银买一讥匾，正好取他不义之财为我助乐，一举两得，又有何妨?”复问匾额之义，旷西笑云：“我乃用减字法，竟瞒过兄眼，他人自体会不得。”这位同年捉摸片刻，恍然拍案云；“本县走狗(苟)。妙、妙、妙！”后为衙吏知道，耻毁其匾而宝其字，宣称四个字亦值得五十两纹银。

罗家伦赋诗赞张掖

李鼎文

1986 年出版的《张掖》画册，在它的《前言》中写道：“境内有横亘绵延的雪峰，飞流直下的瀑布，苍郁葱茏的林海，汹涌澎湃的激流；也有滚滚无边的麦浪，瓜果飘香的田园，碧波荡漾的平湖，稻谷金黄的水乡。天光水色，自然成化。既有雄浑粗犷的北国旋律；又有妩媚多姿的江南秀色。古诗云：'若非祁连山顶雪，错把甘州当江南。'这是真实的写照。"这里所说的"古诗"其实是"今诗"，十四个字中，还记错了六个字。

罗家伦《张掖五云楼远眺》诗云："绿阴丛外麦毵毵，竟见芦花水一湾。不望祁连山顶雪，错将张掖认江南。" 五云楼，据清乾隆四十四年(1779)修《甘州府志》载，在甘泉书院内，耸立于南城上，是乾隆三十二年(1767)修建的。毵(音三)毵，细长的样子。作者于民国三十二年(1943)夏因事去新疆。从重庆到迪化(今乌鲁木齐市)一路写了许多诗，后来编印成《西北行吟》一书，这首七言绝句就收在该书内。这首诗是路过张掖时登上五云楼眺望后作的。他在楼上望见城外的景色，绿树丛外有麦田，麦浪随风翻动；竟有芦苇环绕的池塘，像明镜一般出现，这时仿佛到了江南。等到望见祁连山顶的皑皑白雪，才明白了自己是在张掖城上。由于构思和用语的新颖巧妙，此诗曾传闻一时。当时他是重庆国立中央大学的校长。

罗家伦在"五四"时期，曾是新文化运动的健将。后来跟国民党跑到台湾去了，最后病死在那里。

于右任赠联“郭凉面”

李德文

甘肃武威人郭中藩，字喝涛，世以卖凉面为生，人称“郭凉面”。因其凉面色味俱佳，名扬城乡。

每日上午上市，不到中午便被争买一空，然后回家习字绘画。其字先学颜真卿，后学魏碑，自成一体；其画长于人物、山水，实市井中之雅人也。凉州城中文人墨客，常至郭家论文议事，切磋书画技艺。

1941 年秋，时任国民政府监察院院长的中国著名书法家于右任和中国著名国画大师张大千先生，先后到武威，闻“郭凉面”名，与之倾谈大悦。于先生特书对联一幅相赠，联曰：“观其为文不随时趣，与之言事大有古风。”

张大千为王宇一遗画题词

张尚瀛

王定元，字宇一，甘肃省靖远县人。是 20 世纪 20 年代甘肃著名报人之一，主编《甘肃民国日报》副刊《自由之苑》，享誉于时。

1941 年春，王病殁兰州南府街(今金塔巷)寓所。宇一精文事，能书画。殁后其同事张思温在清理遗物时，于抽屉内捡得遗画两帧，一为仿张大千白描仕女；一为绘画丛竹之画稿。

思温后来持请陇上诗书画名家范振绪在其丛竹图上，补以远山水石，得成完璧。1942 年张大千来甘，在范寓见到所补之画，深有感喟，题云："昔沈石田为吴瓠庵尚书作画未竟而卒，文徵仲为补成之，今观此作，古人不得专美于前矣。"张思温在仕女图上题诗云："西方有美人，遗世而独立。纨扇感秋风，流光何太急"；"泡幻偶留影，风尘未止戈。所思人不见，蹙恨上双蛾"。盖有深忆故人之情也。

此两画原为张思温所珍藏，后其图书名画悉归甘肃省图书馆保存，此两画并归之。

黄文中的西湖楹联

柯 杨

1932 年，临洮黄文中由沪赴杭，寄居西湖俞楼，达三载之久。见各处亭台楼阁楹联，大都系东南文人所撰写，乃决心为陇上学林一争荣光，先后撰写了十八副对联。其中除"平湖秋月"的

"鱼戏平湖穿远岫,雁鸣秋月写长天"一联由黄侃(季刚)先生篆写,湖北谷城杨昭恕(心如)教授捐资制联悬挂外,其余十七副均由黄文中自己撰写,并在友朋资助下一一制联悬于各景点,其中颇多回肠荡气、可圈可点之作。如,韬光石楼联云:"湖光塔影连三竺,海日江潮共一楼。"翠微亭联云:"孤亭似旧时,登临壮士兴怀地;鹫岩标远胜,翻动平生万里心。"秋雪庵联云:"应将笔砚随诗主,为访芦花上钓舟。"苏小小墓联云:"且看青冢留千古,漫道红颜本暂时。"尤以孤山公园"西湖天下景"一联最为著名,其联曰:"水水山山处处明明秀秀,晴晴雨雨时时好好奇奇。"盖黄从苏轼"水光潋滟晴方好,山色空濛雨亦奇"诗句中得到启发,构思成叠字联。此联曾毁于"文化大革命"时期。亭台修复时原作楹联的落款变为"任政题"。经文中先生家族和亲友向杭州市园林文物局多次交涉,于1987年11月重新刻制,恢复原貌。

黄侃、杨昭恕与黄文中的文字缘

柯　杨

陇上著名书法家临洮黄文中(中天),为西湖"平湖秋月"所撰之"鱼戏平湖穿远岫,雁鸣秋月写长天"一联,何以由著名学者黄侃(季刚)篆写,由杨昭恕请人制联?其中有一段缘由。

杨昭恕，字心如，湖北谷城人，大学教授。1935年赴游杭州，与黄文中同居俞楼而相识，过从甚密。杨对黄之文才、书法赞叹不止。请黄将所撰全部西湖联语以《西湖楹帖集》为题，书写后装裱成册相赠。黄在此集中撰有自序一篇，全文如下：

余漫游东南，寓杭较久，匆匆三年矣。因之对于湖山秀色，得以饱餐。虽阴晴雨月，气象万千，而静心领略，概有真味，足以涤除尘虑。坡仙晴雨奇好，淡妆浓抹句，形容尽致，深得此中三昧者。回首风尘，世弃君平，欲不勾留，得乎？大抵钟鼎山林，各随所遇，亦各行所安，巢由之遁，不必定贤于皋夔沮溺之耕，不必果高于洙泗，是正丈夫各有志，不以此分优劣也。余不善吟哦，而烟霞涤荡久，结习终难除，遂亦偶题楹联，藉识游迹，强半钝相耳！而友好且有代为书悬之者，殊增忸怩。自思生此国步方艰、山河变色之时，漂泊于卧薪尝胆、生聚教训之邦，甫逾中年，甘心寂寞，且喜为此，真是不贤，识小诗以嘲之云：'湖山频点缀，风月任评章，寂寞者般事，无人争短长。'归有日矣，适杨心如教授来杭游，同寓俞楼，一见如故。心如先生寻幽探胜兴致颇豪，题吟湖山，雅兴不浅。对于拙题，亦有称述，谦虚可敬，以故遵嘱而书也。倚装匆匆，不工已极，

乞两正之，留作纪念。二十四年四月十日临洮黄文中书于西湖俞楼。

杨昭恕将此楹帖集呈国学大师黄侃先生观赏，黄侃亦大加褒扬，并热情为其题跋云：

今临洮即狄道，晋世辛谧善草隶书，黄君盖绍其坠绪者。近世书体，唯诸城最难抚(摸)放，不得其意，未免有毡裘气。黄君独不然，洵可异也。心如学士与黄君初不相识，与之遇于西湖逆旅中，赏其辞翰，黄以为温雪之遭，故备录所为楹帖以诒之。心如亦视如苍璧，珍重藏存，斯不负黄君之投赠，尤可徵心如奖善重交之怀。爰为题记左方，以示钦悦。乙亥浴佛日黄侃。

杨心如对黄侃所篆楹联也有题款，其文曰：

临洮黄中天先生文中久旅西湖，喜为楹帖，凡经登临处悉张之，独此联成而未悬，余与同寓俞楼匝月，为温雪之交。先生既还陇上，余重至武林，裴回是间，忆先生佳对状景维妙，爰祈吾乡黄季刚先生为篆而悬焉。乙亥秋日，谷城杨昭恕心如记。

范振绪善制灯谜

田企川

范振绪，字禹勤，甘肃靖远人，清光绪二十

九年(1903)癸卯科进士。他不仅诗、书、画三绝，而且也是谜坛高手。辛亥革命之后，他在北京供职。当时，北京谜坛鼎盛，他常周旋于灯窗虎影之间。后来他到河南济源做官，与兰州人孙尚仁共设谜台，许多风雅人士拜识他门下，使当地谜风为之一振。

后范回到兰州常应邀灯谜会出灯谜。他所制之谜，多风雅之作，有的很高雅，使“打虎将”们绞尽脑汁。如他出的佳谜有：“兰山两岸，绿野平畴”(射《诗经》“黄流在中”)、“牧童驱犊还”(射中药二名“牵牛子、当归”)、“逸仙”(射五言唐诗“空山不见人”)。马啸天(现代兰州射虎名将)回忆有次射中范老的一个字谜的情形道：“有一条谜：‘无珠难为玉，解带懒围腰’(射一字)，开始不知从何入手，后来才开了窍，心想，‘玉’字无珠则是‘王’字，‘王’字又‘解带’缺一‘围腰’，自然就是‘工’字了。”打这天起，范振绪对马啸天的射虎本领很是器重。

范振绪平生制谜不下数千条，后由马啸天将他的亲笔谜笺辑为数册，题名《东雪草堂谜存》，惜在“文化大革命”时期被毁于火。

《敦煌访古图》题诗

袁第锐

甘肃省文史研究馆馆员张令瑄兄以其先翁鸿汀(张维)先生珍藏之《敦煌访古图》画卷见示，此乃近代甘肃名画家范振绪先生手笔，现珍藏甘肃省图书馆历史文献部。此卷成于1942年，时张大千先生方临莫高窟壁画，题其卷云："雁塔榆林一苇航，复传薪火到敦煌；平生低首阎丞相，刮眼相看此道场。""吴生习气未能除，识得龙眠此论无？碧眼从他夸重宝，神州到处有骊珠。"诗中榆林指榆林石窟，丞相谓唐人阎立本，其所绘《历代帝王卷》已流入美国，故大千有"碧眼从他夸重宝"之叹。史学家顾颉刚氏时亦在兰州，于卷上题诗云："想望敦煌四十年，劳劳人事几迁延，者回得到皋兰下，又赋高山仰止篇。"盖顾氏当时虽客兰州，而未能一临莫高胜境，故诗中怅然其情。"者"通这，五代宫词多用之。有人浪易为此，非是。又于右任先生在卷题《人月圆》词一阕云："功名万里天山路，白首到敦煌。沙场绣壤，绣壤沙场。伤心难画，莫高石窟，文物兴亡。阳关夕照，沙场夜月，也觉凄凉。"此词为近年出版之《于右任诗词集》所不载，故并录之。画作者范振绪先生有诗题于卷末云："张侯西访

古，沙碛一扬麈。驻足天山近，寻踪石窟遥。嘱余成粉本，留此记征轺。遗物仍无恙，离魂不可招。屋梁悲落月，枫叶带霜凋。飞鸟归何处，渥洼化春潮。”诗中张侯指鸿汀，以其先逝，故范老以诗悼之。范振绪（1872—1960），清光绪二十九年（1903）癸卯科进士。曾任第一届国会参议院议员，甘肃省临时参议会副议长。解放后任政协甘肃省委员会副主席。

题画诗

张思温

甘肃靖远县范禹勤(1872—1960)，名振绪，光绪二十九年(1903)癸卯科进士，留学日本法政大学，能诗文、善书画。尝自言其书不如诗，诗不如画。为先父质生公作画甚多，如《剑门图》、《九如图》、《重游泮水图》等，皆有题咏。

昔与先生同客武威，允为作画。时诸商人争购其画，日不暇给。余戏作四绝句嘲之，有云：“老来笔墨应珍重，莫尽劳劳付贾人。千载流传名不减，几曾呵护赖钱神。”送后颇悔唐突前辈。先生得诗作《江南杏雨图》，亦题四绝句于上，末二句云：“送穷原是昌黎笔，为博莱芜买米钱。”遣使贻余。

何克和艾黎的遗嘱

汉国萃

乔治·何克是一个将青春和生命献给了中国的英国人。他从牛津大学毕业后,即以记者的身份来到中国,出入于华北敌后和晋陕地区,后任中国工业合作协会西北区办事处英文秘书,1942年春,任双石铺培黎学校教导主任。1944年该校迁移甘肃山丹,易名为山丹培黎学校。次年7月,何克在和学生打篮球时,不慎足趾碰伤,感染破伤风,不幸于7月22日逝世,年仅三十岁。当何克病危之际,他写下了"把我的一切献给培黎学校"的遗嘱。这时,路易·艾黎在极度悲伤之中,也立即执笔写下了同一句话:"把我的一切献给培黎学校。"作为他自己预留的遗嘱。

何克逝世消息传出后,兰州工合同人于8月4日举行追悼会。8月5日,《甘肃民国日报》报道了何克的逝世和兰州工合人士哀悼的状况。何克的墓在山丹培黎学校之侧,墓地建有石碑和翼亭。墓碑碑文:"中华民国三十四年七月二十二日本校英籍教导主任何克患破伤风辞世,工合同人并有关人士咸感痛悼,乃献金戮力于山丹南郊东泉水之阴,成其墓圹,前建球场,右构翼亭，旨在健身树业，无血汗不足以成其志，匪群力未足以慰其劳力。特立石敬志此意。”下署：“中国工业合作协会山丹培黎工艺学校同立。”

皇宫贡品鸽子鱼

尚　瑛　杨兴茂

甘肃省靖远县特产的鸽子鱼，以其形状酷似鸽子而得名。

鸽子鱼属鱼类鲤科，嘴扁尖长，双眼为红色突出的圆圈。体短丰满，光泽少鳞，略呈淡红色。其肉洁白如凝脂，细嫩而醇香，既是美味珍品，又有壮身、滋补的疗效，因而驰名全国。

鸽子鱼只产于甘肃靖远县与宁夏回族自治区中卫县交界处之黄崖、双漩一带水流湍急的黄河峡中，且有捕捉季节的限制。在黄河封冻时，渔户方可腰系绳索，攀援临崖，破冰撒网，间有捕获。但偶一不慎,将有失足落水,葬身鱼腹之虞。因其得之不易,故身价昂贵,年产仅千斤左右。

清朝时期,鸽子鱼定为皇宫贡品。每年冬季,由靖远县署,向渔、筏户规定额数,限期交货,孝敬上峰。陕甘总督衙门,又层次扣剥,所以售于市者不多,一般人难得尝品其鲜。现黄河水污染严重,对鸽子鱼的繁殖,有很大威胁。

“当归”名源述异

刘仲文

甘肃盛产“当归”,尤以岷县所产最佳。考“当归”之名源,其说有三:一是由其性能而得名。如《药学辞典》:“当归因能调气养血,使气血各有所归,故名当归。”二是因当归为妇科要药,引申有“思夫归来”之意而得名。如《本草纲目》:“古人娶妻为嗣续也,当归调血为女人要药,有思夫之意,故有当归之名。正与唐诗‘胡麻好种无人种,正是归时又不归’之旨相同。”三是因时代风俗习尚而得名。如晋人崔豹《古今注》:“牛亨问曰:将离相赠以芍药者何?答曰:芍药一名‘可离’,故将别以赠之,亦犹相招赠之以‘文无’,文无一名当归也。”又据《三国志》中有两处记载,可以为证:其一,曹操闻太史慈名,欲使其

弃吴北归,乃"遗慈书,以箧封之,发省无所道,而但贮当归"(《三国志·吴书·太史慈传》)。

其二,"初,姜维诣(诸葛)亮,与母相失,复得母书,令求当归。维曰:'良田百顷,不在一亩(母),但有远志(亦一中药名),不在当归也"(《三国志·蜀书·姜维传》注:引孙盛《杂记》)。

上述三种说法,何者为确,尚难断定。我以为,三种说法的意义大致相近,互相发明,相得益彰。

另一传说:安禄山叛唐,玄宗逃往四川避难。临行大臣罗公远哭献一包礼物。玄宗因仓促逃命未即拆看。待平定叛乱后,打开一看,原来是一包"当归",玄宗恍悟,下诏起驾返回长安。

华莱士与兰州白兰瓜

汉国萃

1944年夏,正当盟国向德日法西斯进行全面反攻时,美国罗斯福总统特派副总统华莱士出访中苏两大盟邦。华氏先到莫斯科,由苏联经中亚进入中国,同年6月3日抵兰州,赠送给甘肃省草木樨等九十二种牧草籽种和"蜜露"甜瓜种籽。华莱士是农业专家,曾在罗斯福任首届总统时任农业部长,他所带来的种籽是依甘肃的自然条件选定的。所赠送的"蜜露"甜瓜种籽在兰州青白石砂田里试种成功。瓜质异常甜美，冠绝海内。瓜农以种籽是华莱士赠送，便把这种瓜叫做“华莱士”。

抗美援朝开始后，各地纷纷清除帝国主义侵略遗迹及其影响。1951年三、四月间，《甘肃日报》编辑部接到几封群众来信，建议和要求改变“华莱士”瓜名。编辑部将有关来信转给省人民政府，并建议改名，旋经省农林厅研究，提出了几个拟议的名称，如绿酿甜瓜、白皮兰州瓜等，最后经省政府决定，改名为“白兰瓜”。取瓜皮白色，产于兰州之意。以后随着这种瓜流传到外地，白兰瓜声名远布全国，直至东南亚。近年白兰瓜产区又扩大到河西地区，尤以民勤、安西所产品质更为优良。

果园“天把式”

邓　明

兰州多果园。果农多空中作业，故称之为“天把式”。“天把式”使用的农具有云梯、戗杆等，均为碗口粗、长数丈杉木制成。云梯为一根杉椽，左右交错镶四五十根半尺长横木，作为登高的阶梯用。戗杆由两根杉椽顶端以极韧绳索紧扎而成，可视所需，摆成各种角度，戗住云梯。这样，云梯、戗杆就形成支架，以便攀登作业。

一年之中,“天把式”主要有以下几项空中作业:

暮春果花将谢时,“天把式”持长竹竿,登云梯,轻重适度地遍敲树枝,以敲落害虫、弱果,称“弹花虫子”。初夏幼果膨胀期,登云梯摘除卷叶蛾藏身的树叶,称“摘包角子”。盛夏为防果实压折树枝,乃将一根高出树稍数米的杉椽紧缚于主干,再从其顶端拉引麻绳,顺次吊住各主枝,又从主枝之麻绳上系引马莲绳,形似蛛网,吊住结果枝,此谓之“吊枝”。临洮黄可庄咏之曰:“杆高百尺索如丝,牵引新条复旧枝。若网在纲归一统,树人树木有同期。”抗战时沦陷区难民初来兰州,曾误疑果园吊杆为无线电天线。仲秋果子成熟后,“天把式”再高登云梯轻舒猿臂,喜摘果子。以小篮吊到地面。初冬,“天把式”登高从事一年内的最后一次空中作业。即剥树皮、消灭隐藏害虫卵,并用石灰水涂抹树干,以防冻害。黄可庄诗云:“犹升木末危不支,刮垢磨光尽树皮。酷似漆工施妙手,殷勤涂垩复涂脂。”

随着时代的发展,如今,“天把式”的工作又添了新内容,他们学会了果树修剪与药物防治病虫害技术,林果业的发展进入了一个新阶段。

瓜果城中第一奇

王九菊

甘肃大部分地区盛产软儿梨，又名香水梨，盛果期株产可达千斤。秋末梨呈青黄色，味微酸，秋收后，藏于背阴、通风的架板上，至冬末春初，变软而黑，果肉浆化，为冬季佳品，清香、醇甜、冰凉爽口，沁人心肺；有润肺、清热、解腻、解酒、生津化痰功效。据《群芳谱》载："香水梨出西北，最为上品。"食时梨软如泥，所谓："皮薄一包水，肉化一团泥。"故名软儿梨。于右任有诗云：

冰天雪地软儿梨，瓜果城中第一奇。
满树红颜人不取，清香偏待化成泥。

瓜果城为兰州雅称，化成泥乃果变软如泥之意。

抗日战争时，东南沿海地区人民，来到兰州，品尝软儿梨，赞称"一包蜜"，争相购食。

唐汪川大桃杏

马自祥

甘肃省东乡族自治县唐汪川所产的甜杏，个大如桃，俗称“桃杏”。桃杏素以色鲜、皮薄、肉厚、味甜，色香俱佳，久负盛誉，是瓜果中的珍品。农历六月末七月初，是桃杏成熟的时节。

唐汪川的大桃杏，已有三百多年的培植历史。当地人习惯把树上结的桃杏叫做“高田”，把种在树下的粮食作物和蔬菜称做“低田”。“高田”与“低田”一样重要。桃杏，本地人也叫“大接杏”，它可以在各种杏树苗上嫁接成活。它集杏类大成于一身，它有蜜杏一样的甜汁，而又比蜜杏水分多，个头大；它有胭脂杏一样的佳姿丽色，可又比胭脂杏可口馨香；它有甜核杏一样甜嫩的肉质，而又有比甜核杏更脆甜的杏仁；它有野生杏一样不择地而生的适应性，而又比野生杏更能经霜耐旱。

关于唐汪川桃杏的来历有以下几种传说：

一是说明代的汉族长工，从巴山蜀水携带到本地来的，原来叫“二转子”杏。二是说三百年前，一个虔诚的穆斯林教徒，到古波斯求学讲经时，带回一粒杏核儿，精心培育而成。三是说有个勤劳的东乡族青年，在高高的牛心山上开凿山路；当挖通牛心洞时，突然从洞里飞出一只口衔杏核的金鹁鸽，在他头上绕了三圈，不慎把杏核掉落下来，这个青年人把它种在地里，后来就长出了这种珍贵杏树。

如今唐汪川的桃杏有很大发展。有两首花儿这么唱道：

站在高处朝下看，
唐汪川好比是金牡丹；
桃杏呀一篮歌一串，
尕花儿漫时比杏甜。

青枝绿叶的唐汪川，
杏树(哈)罩严着呢；
国泰民安的好光景，
高兴(着)心里笑哩。

兰州清汤牛肉面

空　谷

兰州清汤牛肉面味美价廉，是大众欢迎的快餐之一。讲究“一清、二白、三红、四绿、五黄”。

一清，指汤清。做汤时用带骨牛肉清炖后的原汁鲜汤，再兑入羊肝、牛肝及鸡汤。辅以佐料，清澈见底，味美鲜香。

二白，指萝卜片白。制作时将白萝卜切成正

方形或扇形薄片，投入开水锅，煮到七、八成熟时，捞出用冷水漂过，去其异味，再加牛肉汤煮熟备用。俗云："萝卜炖牛肉，胜似人参汤。"食时软硬适口，老少咸宜。

三红，是指油泼辣子。菜油煮沸后，投入花椒、草果、姜片，去其清油味，再捞出调料，加入上等辣子面搅拌成稀糊状，食时还要调入辣子油，鲜红晶莹，芬芳扑鼻，鲜而不辣。色味更佳。

四绿，是香菜、葱花、蒜苗末撒在碗中的绿色。一碗面，红绿相映，独具风味。

五黄，则是面条了，白白的面粉，以蓬灰(用灰蓬草烧炼而成)水和之，面团呈黄色，面要和得有韧劲、有弹性，拉出之面条自然成黄色。

牛肉面面条分毛细(俗称一窝丝)、二细、小宽、大宽、韭叶、荞麦棱等规格。扯面薄厚均匀，宽细一致。面煮熟后捞入碗内，浇上清汤、牛肉丁、白萝卜片，调入红辣子油，撒上香菜、葱花、蒜苗末。价廉实惠，食者称绝。

兰州清汤牛肉面，始创于清光绪时兰州回民马保子，后经第三代嫡孙马成禄不断创新，才发展成今天的色、香、味、形皆佳的地方风味小吃。因其操作精细，誉满全城，至今仍多以马保子家传绝技为正宗，以招徕顾客。近已进入北京和东南沿海等城市，食者称绝。

甘肃的浆水面

柯　杨

浆水面是甘肃农村夏季的家常饭，家家会做，人人爱吃。

浆水的制作方法：先将白菜、苜蓿或芹菜洗净、切碎、煮熟，浸入贮有凉开水的缸中，再加少量旧浆水(俗称“引子”或“脚子”)，并以麦粉或豆面，煮成稀糊，拌搅缸中密封缸口，令其发酵，三五日即可。食时，用净器舀出若干(若太酸，可掺入适量开水)，煮沸后调入食盐、油炝葱花、油炸花椒等佐料，然后俟凉备用。临洮、渭源一带农家，不用花椒而用野生地椒，另有一种风味。这叫做“炝浆水”，用炝过的浆水浇在面条上，叫“浆水面”。农村则多以浆水和酸菜一并调入饭中，叫做“连毛子浆水”。

面条多用手工擀薄切细，煮熟后捞入碗中，浇上调好的浆水，调一些油辣椒，撒上一撮切碎的芫荽，即可食用。其味酸香适口，有开胃降火、清热解暑之功。兰州近代文人王烜在其《竹民诗稿》中对浆水面有具体生动的描述，其诗曰：“本地风光好，芹波美味尝，客来夸薄细，家造发清香。饭后常添水，春残便做浆，尤珍北山面，一吸尺余长。”

石子锅盔

赵世英

石子锅盔，系用特产细小石子在平底锅内加热后，将小麦面饼埋入其中，以高温烫熟的大饼。此饼色鲜、味美、香浓，久置不馊，民间多以为赠送亲友礼品之用。

甘肃省临洮县辛甸乡之东有一山沟，特产颗粒细小、大小匀称的砂石，多埋藏于山岩之深处，掘之可得。附近居民挖掘取回，用竹筛选出颗粒大小相等的石子冲洗干净备用。焙制时，先将石子放入平底锅内，用温火加热，并以清油(或香油)浓拌石子呈油质状。同时用铁铲翻动，待锅内石子温度升到烫手时，即将事先做好的小麦面饼，平展无曲、上下均匀地埋入砂内，严封锅盖，继续用文火加热。约二十分钟，埋入石子的面饼即被烫熟，取之可食。

因面粉发酵、施碱、卷油做成的多层饼，呈软绵状态；突埋入强硬的砂砾之中，砂砾势必受强压而挤入面饼内。因此，当面饼烫熟时，都是由砂砾拓印的密密麻麻的小窝窝。出锅后轻轻一扫，砂石尽脱，但“麻面”将留于大饼之表面，既好吃，又美观，别具风趣。

石子因拌清油在高温中反复使用，变为深

黑色，光滑明亮。每次用毕，待冷却后，装入布袋内收藏，供以后再用。甚至亦有作为礼品持赠不产石子地区的亲友者。

陇西腊肉

尚　瑛　张西原

陇西腊肉，自清同治七年(1868)以后，即闻名于世，畅销西北，是甘肃名产之一。

陇西腊肉，肥瘦相间，肥而不腻，瘦而不燥，莹净如冰，红艳似桃，号称“五花肉”，味道鲜美，四季咸宜。

腌制陇西腊肉，多购用岷县闾井、蒲麻，漳县东南乡、武山西南乡、宕昌一带的生猪。那里盛产当归、党参、大黄等多种中草药和号称“长寿果”的蕨麻。蕨麻含淀粉、糖和多种维生素。当地养猪上半年习惯放牧，以草药、蕨麻根茎叶果为饲料。因猪的活动量大，精饲料少，故脂肪少瘦肉多。冬季则圈饲添精饲料催膘，故这种猪肥瘦相间。腌制时采用漳县、靖远等地的“雪花盐”和十数种调料，同时必须加一定的驴肉。因驴肉味能与之互为补充，且色绚丽如霞，方能增加其独特的风味。如用黄河水煮之，其味更鲜美。

陇西腊肉，除猪肉外，还有驴肉、羊肉及蝴蝶肉(驴肾)，更为名贵。

高三酱肉

尚　瑛

兰州小吃中，高三酱肉名声甚大。

高三名彬吾，陕西人，因排行第三，故称高三。群众又呼之为高老三。他从十多岁起，就在西安某老酱肉铺作学徒，深得酱肉操作之法。1930 年前后来到兰州，在中山市场(今兰园)开酱肉铺子。乃从原学基础上，又吸收兰州地区酱肉的特点，从选料、配料、火候上严格把关，烹调出一种具有独特风味的酱肉。

高三酱肉色泽红黄，味美醇香，嫩而不烂，肥而不腻，吃时佐以烙饼，红豆稀饭。因此一时成为兰州独具一格的佳肴，深受顾客欢迎。

抗日战争时期，中山市场被日机轰炸，高三酱肉铺乃改设于东大街(今张掖路东端)路北一四合院内继续营业，更名“福华轩”，依然顾客盈门。1955 年，高三酱肉合并于国营商业，福华轩迁至张掖路西端路南营业。今兰州市餐桌上用的酱肉仍以高老三作为招牌。

陇南山区罐罐茶

柯　杨

罐罐茶是陇南山区农民的一种特殊饮茶方式。每日晨起，先饮罐罐茶，然后才下地干活。凡客来，先请上炕，随即端来火盆，置于炕头，当面点燃木炭或劈柴，火上架一个三脚圆形铁架，上置水壶令沸。每客分给极小砂罐（俗名催子）一个，小瓷茶杯一只，自煮自饮。煮茶时，各人按自己用量将茶叶投入砂罐，注入壶中开水，煨于盆火之旁，水沸，用一小木棍不时搅动，以免外溢。煮妥，倾入杯中饮之，其量约一大口，味甚苦。三四煎后，嗜浓茶者往往弃去败叶，另煮新茶。不习惯饮此茶之城里客，每饮一口，则必然龇牙咧嘴，面部表情作痛苦状，往往一罐未完，就辞谢不饮。在招待来客喝罐罐茶时，一定端来馍馍，请客人边吃边喝。岷县、宕昌一带山区农民在招待贵宾时，还要在茶罐罐中调入蜂蜜，动物油脂和盐。

灰蓬与蓬灰

杨兴茂

灰蓬，俗名水蓬，又名沙蓬，野生于甘肃黄土高原。西北师大植物学家孔宪武的《兰州植物通志》中，列入藜科，灰蓬属。

我国的藜科植物约四十八属一百七十种，灰蓬即其中一芥草本，通体肥厚柔弱，耐贫瘠、干旱和盐碱，得雨蓬勃生长，随风撒种四方，充满非凡的活力。灰蓬经过烧炼则“脱胎换骨”，由草本变为石质的蓬灰。蓬灰烧炼时，于山坡、地埂或路边挖一圆形土灶，往灶中大把添烧干枯灰蓬。土灶中不断厚积的草灰，在高温下逐渐红软融结，状如铁水，几名汉子各持硬木粗杠不断捣固，冷却后，便是银灰色硬如矿石的碱类无机物——蓬灰。倘若银灰结体为铜锈绿，更是绝好的精品。

民间烧制蓬灰的成果，在正史里语焉不详，但在方志中，却可窥见一斑。乾隆《甘州府志》载：“水蓬，烧取其汁，以为蓬灰。”由此推断，甘肃的蓬灰烧炼史，最迟当始于清初。甘肃中部的皋兰、靖远、景泰、永登、榆中、临洮及河西地区均盛产蓬灰，尤以皋兰所产量大质优。在驼铃声中，蓬灰应市本省，行销全国。民国《甘宁青史略》说，仅皋兰"岁销省城附近一带约三四十万斤"，足见当时贸易盛况。清末的《陇右纪实录》在兰州道洋务派《开办洋胰子厂章程》一文中，列述现代香皂的前身之一——洋胰子的生产工艺：蓬灰配以牛羊油、石灰水、碱面、白盐、香油等佐料，经过多次熬炼，始制成洋胰子(粗形肥皂)，供城乡人家使用。由此看来，蓬灰和洋胰子在我国碱类系列和洗涤群体中的承前启后、抛砖引玉之功，是不可磨灭的。时至今日，虽说工业纯碱将取代蓬灰，但享誉海内的兰州清汤牛肉面等地方风味面食小吃，仍然沿用蓬灰。这是因为它有使面体柔韧，拉力绵长均匀的特有功能。

谭嗣同在兰州写的禁毒歌

甘　农

谭嗣同(1865—1898),字复生,号壮飞,湖南浏阳人。清末著名的改革家、思想家。为"戊戌变法"而牺牲的"六君子"之一。少年时,曾随任甘肃布政使(藩台)的父亲谭继洵来甘肃小住。梁启超编著《谭嗣同全集》中,收有谭嗣同在兰州写的一首《罂粟米囊谣》,全文为:

> 罂无粟,囊无米。室如悬磬饥欲死。饥欲死,且莫理。米囊可疗饥,罂粟栽千里。非米非粟,苍生疾矣。

罂,小口大腹,可盛粮。"罂粟"即鸦片,又称大烟、洋烟。在中国种植者称“土烟”,俗名“鸦片烟”。自清道光年间鸦片战争失败后,鸦片与罂粟籽大量输入我国。晚清政府腐败,为增财政收入,竟大开烟禁。当时甘肃良田沃土,尽“废田而植”,三陇道上,罂花遍野。据光绪三十二年(1906)调查统计,甘肃鸦片产量居全国第五,人均占有量为第二。良田不产粮,吸毒瘦如柴。作者此诗深刻揭露鸦片之害,禁毒思想十分强烈,既是珍贵的史料,又是一代爱国志士之心声。

“拔电杆”奇案

赵燕翼

我国引进西方有线电报技术,始于19世纪80年代。而西北地域辽阔,电讯传输设施投资巨大,故迟至十年之后,才开始在甘肃创办。

清光绪十六年(1890)二月,于省会兰州设立电报局,积极督工架设线路。十月,东起西安、西至肃州(酒泉)全长二千九百余里的电线架设完成,计耗工料银二十万两。

这是一项前所未有的巨大工程。由于甘肃地处边陲,人民群众科学文化知识贫乏,故对此新奇事物感觉神秘,称电线杆为“洋杆”,而多存戒心。

光绪十八年(1892),陇东大旱,泾州(今泾川

县)旱情尤为严重。当地群众以为“洋杆”收电,故天不下雨。此一谣传不胫而走,引起人们极大恐慌与激愤,遂酿成一场拔除电杆的自发暴力行动。数日之内,以泾州为爆发点,东及陕西长武,西到平凉白水,电杆全被拔光,并集中成堆,点火焚烧,绵延百里,烈焰照空,无人敢于阻止。

事发后,清政府饬令陕甘两省大员彻查严办,成为轰动一时的大案。

当时泾州直隶州知州贾勋,以为“风气未开,愚民可悯”,不忍广张法网,株连众多百姓。遂于拘押人犯中,秘密提出年龄最大的窑店农民王万清,婉言劝导说:“你已是年逾花甲的老人,如能独当此案,则可挽救多数乡亲性命,不知尊意肯否?”王面无难色,满口应诺。当公堂受审时,万清挺身而出,慷慨陈词,将“煽动”、“组织”之责,全由自己承担,遂被定为主犯,叛处死刑。

王万清依律伏法后,贾勋亲自关照地方,妥善安置其遗属生活。泾川百姓为感戴王万清大义,在其故乡窑店建“王公祠堂”以为纪念。

此案事变初起,亦波及河西走廊的凉、甘、肃三州,幸制止及时,未致蔓延成灾。事后,陕甘总督杨昌浚上奏清廷,将泾州知州贾勋给予“降一级留任”处分。

甘谷饥荒目睹记

王秉钧

1928年甘肃大旱，冰雹、虫害相继，夏秋无收。11月甘谷又遭韩进禄匪部入城洗劫，酿成百年来特大灾害。

1929年春，饥民遍地，草根树皮俱食尽。多处发生人相食的惨剧。全县除少数富户外，广大人民十室九空，束手待毙。华洋放赈，城内设粥施食，远乡邻县饥民，闻风赶来，杯水车薪，难以活命，加以疾疫流行，每日死亡相继。我在每日早晨进城上学，北门附近，总见三四具尸体；更有哭泣嘶叫，呻吟待毙者，道路为塞。怵目惊心，泪簌簌流出。据不完全统计，全县死难人数，不下十余万人。邻县通渭、秦安、天水、武山、陇西诸地与此相同。

是年最难煎熬的日月，是正月至五月这一阶段，所谓"生月"。三四月，连下几场时雨，草芽重生，苜蓿寸长，存活了不少人。九月秋禾足熟，天灾缓解。但因贪食而死者也不乏其人。邑人得出两条教训：(一)所谓施粥放食，并不足以活命，适足害事。不少人以疲惫饥饿之身，远道跋涉，流浪街头，纵不饿死，也难免寒冻、疾疫之侵袭以死。(二)人民经过长时饥饿，肠壁变薄变细，经

不住多吃，须慢慢调济少食，逐渐恢复肠胃消化承受力。

时当地青壮男女，逃到宝鸡、陕南一带山区乞讨，佣工就食者，多存活下来。古语有“河内饥则移民于河东，河东饥亦然”的说法。在旧时代，从饥乡就食丰乡，未尝不是一个有效可行的办法。惜时际政治腐败，军阀割据，无人组织倡导，亦无人关心人命。

张天师符箓闯关记

谷苞

20年代驻扎在甘肃的冯玉祥国民军，官兵都佩带蓝色臂章，上面印着“不扰民，真爱民，誓死救国……”的字样。每当就餐前还要唱《吃饭歌》。歌词是：“这些饮食，人民供给，救国救民，吾辈天职。”歌虽如此，但做起事情来却并未照此办理。

当时的甘肃，还没有公路和汽车，物资全靠大车与骡马运输。国民军常强拉老百姓的大车和骡马无偿为军队长途运输军需物资，在蒋、冯大战前尤其如此。结果老百姓的大车和骡马都不敢进城了，给城里的军队、机关和一般市民造成了生活困难。为了摆脱困境，在兰州的驻军和机关，给一些运输户发一面三角形的白布小旗，上面写着"运粮、运煤炭"等字样并盖有官印。得到这个小白旗的运输户就可以免遭抓差的厄运。我家有门远亲,住在水磨沟,有两头骡子,靠运煤炭为生。他曾送礼给城内的某道士,请他设法代为买一个盖官印的小白旗。这位道士没有办成,却异想天开地在一个三角形白布小旗上,盖了一个木刻的用以"镇魔压邪"的张天师符箓,它是一种笔画弯曲、似篆非篆的字形。站岗查哨的士兵,都是目不识丁的大老粗,只认三角旗形和官印,就这样依靠这面小旗,我家的那位远亲,居然在一个长时间内屡次闯关过卡,平安无事。我曾亲眼看到过这个符箓,有的字不认识,有的字虽认识已经忘了,只有"天师"二字仍然记得很清楚。

施 汤

吴永江

甘肃陇南清水县去天水市一百三十华里,抗日战争时期尚无公路相通,当时行旅亦不甚多,行人仍沿用古之大道,其宽大部分只容一骑有余。其间从四十里铺向南至社棠镇三十余里,除南端下山外,大部分在山梁之上。沿途没有村庄,树木稀少,夏日炎热,行人或乘骑或肩挑、步履,均深受干渴之苦。不意途中却有一在路旁土崖上开的窑洞，洞内一位年约五十余岁的农民坐在一条扁担上，其前置两个盛满米汤的大瓦罐，一罐上漂着木勺一把，地上放着几个粗碗，显然是等待过客光临。在不见人烟的路上，过客至此莫不喜出望外，进洞解凉饮汤如得甘露。稀汤中，米不相连，正好解渴。喝过歇好，问付钱多少?农民慢声道："不收分文。"问以故，只说："每夏舍汤已数代矣。"山上天阔云净，远处山洼里村庄掩映在绿树之间，一派宁静气氛。此时、此地、此农民自有其内心世界，当为以济人为乐者，或其精神上所得之恬慰，已与天地相契矣。

《甘肃民国日报》的周末点滴

汉国萃

40年代《甘肃民国日报》有一个小专栏《周末点滴》，每逢星期六在地方新闻版刊出。其题材五花八门，文字简朴。形式类似花絮，三言两语一条，每期十条左右，很吸引人。因为常常涉及一些热门话题，或者曲折隐晦地揭发一些人和事；或批判、曝光某种现象；或委婉地说出某些人相同的感受。文章皆无伤大雅，也不剑拔弩张，至多不过使人苦笑而已。

这个专栏，开始时是由沈宗琳负责撰述，后期则主要由朱古力撰写。下面摘录几条，以见一斑。

△物价自3月起,开始上坡,刻下似已到达顶峰,且看它下不下来。

△画展倾向商业后,有识之艺术家提出“艺术良心”之苦谏。

△教师节将近,学生面有菜色,先生不能温饱,尊师重道,社会应如何?

△电灯是都市的眼睛, 兰市的眼睛似已患重砂眼的病人,令人耽心其失明。

△豫籍难民来兰者原为求生, 主持救济者乃就中挑妻,求生未得而妻离家破,人间惨事出于兰垣。

△某厂长就任前第一件大事, 是下条子委派太太为办事员, 办事员到差第一件文稿则是上签呈请求发生育补助费。恩爱夫妻, 彼此关照。

40年代禁烟亲历纪实

春　浦

40年代,国民政府定每年6月3日为“禁烟节”。当时甘肃主管禁烟工作的是省民政厅第三科。因我曾任该科科长,故尽知其情。现将每年6月3日烧毁大烟亲历过程,记之于下:

禁烟法令明定,各专署、县、市局,驻军查获的大烟土,须如数解送民政厅验收,再会同全省保安司令部军法科加封，藏于地下室保管，由保安司令部派兵看守。

到每年6月3日“禁烟节”，省政府邀请省参议会、党、团、军、警、宪负责人及社会有名望人士监督，在兰州中山林当众焚毁一部分大烟土。

1946年、1947年两年，经我手办理焚毁次品大烟土约六千余两。还有上等品一万八千余两，省上于1948年春派军用专机由我解送南京国民政府内政部。

当时兰州乞丐多集居中山林狼洞子一带破窑洞里，其中颇多吸食毒品的大烟鬼。当焚烧大烟时，因温度高，烟土化为液体流溢，那些乞丐中的烟鬼们不顾重兵荷枪实弹层层把守，拼命挤入现场，在焚烧之烟土中以树枝挑拨，使之沾满大烟，遂即拼命逃跑。据说，一条柳棍，沾去大烟多至一二两。更有甚者，焚烟后之地皮也尽为一些人铲去，熬取大烟。

这种既焚烟又抢烟的现象，竟发生在众目睽睽之下，真可谓对时政的莫大讽刺。

敲骨吸髓的高利贷

汉国萃

农村高利贷曾是中国农村破产的主要原因

之一，但是身居中部和沿海地区的人们，无论如何也想象不到20世纪40年代甘肃农村高利贷如狼似虎般吃人的境况。

1948年8月5日，《西北日报》记者在《高利贷在山丹》一文中记述："一般的情形是这样，凡是借一石麦子一样多的钱，在收获以后，就得偿还四石麦子的实物，前后时间不过几个月。……据估计，一斗麦子在山丹放利，经过三年，可以变为一百六十石麦子。"

文中写道："在高利贷的榨取下，农村一般人普遍的没有饭吃，他们日常生活只吃一点菜水(水里面有少许野生的菜)，里边放一点油渣，这样的生活几乎长期如此。"据山丹赵文清县长告诉记者："没有饭吃的人，都成天睡在炕上，一点精神也没有，样子怪可怕的，只是一张皮子包着骨头。他们没有语言，不会呻吟，只是不断地打呵欠，日子一久，也就慢慢地死去了。这样的画面，在山丹附近的乡间到处都有。因为没有吃的，很多人把女孩子出卖了，一个小孩一千万元左右可以买到。"而同日报载物价，上等面粉每百市斤三千二百万元，一千万元买到的小孩，只不过是三十多斤面粉的价格。

县长和记者真实地叙述和记载了那个年代甘肃农民生活惨状之一角。可以说，没有亲眼目睹和深切体会，是不可能叙述得如此真切的。

“原子笔大王”的骗局

袁　炜

1948年春，当时的旧中国，还不会制造“原子笔”(即今圆珠笔)。自称美国“原子笔大王”的雷诺其人，为了大作广告推销产品的目的，竟宣称喜马拉雅山额菲尔士峰（即今珠穆朗玛峰)不是世界上的第一高峰，而世界第一高峰是在青海境内的阿尼玛卿山(积石山)。雷诺邀请中外记者多人，乘他的飞机飞抵兰州，声称将实地勘测；但飞机抵兰州后，第二天他却独自驾飞机不知去向。置中外记者多人于无可奈何之中，造成了愚弄舆论和社会的重大事件。中国各界人士为揭破美国骗子雷诺的谎言，便请中央航空公司派专机探测。1948年4月16日专机由上海起飞，机上载有中外记者多人，当天飞到积石山上空进行了第一次探测。然后，飞机飞到兰州，停留一宿。第二天，决定第二次探测飞行。清晨八时三十分，我以《甘肃民国日报》采访主任身份也参加了这次测量，经过七个多钟头空中探测，积石山最高峰阿尼玛卿峰仅为6282米，彻底揭穿了雷诺所称积石山为世界第一高峰的谎言和谬误。

雷诺的恶劣行径，激怒了公众舆论，4月19

日《西北日报》载文抨击,题为《洋人在中国演了一幕滑稽剧》,并附“国际骗子雷诺”的照片以示众。

兰州午炮

甘 农

20世纪20年代,兰州城的人们,在一天生活中是随着炮的号令作息的。因正午十二时鸣放,故称“午炮”。其实每天要放三次,黎明五六点放的叫“醒炮”;中午十二时放的叫“午炮”;晚九时放的叫“二炮”。醒炮夏天早一些,冬天晚一些;二炮夏天晚一些,冬天早一些。

有时,一昼夜放五次炮。除上述三声炮外,另外在黄昏时放的叫“头炮”,也叫“定更炮”;半夜两点放的叫“子炮”。

醒炮、午炮是起床和午饭、午休的号炮,二炮则是关锁城门,禁止行人,熄灯入睡的号炮。

民国初年,有时白天要放六声炮,这增放的三声炮,不是报时炮,而是“大帅出府”(又叫大帅起轿)的号炮。时任甘肃督军的陆洪涛,在乘轿出辕门(今省人民政府大门)时,要放三声起身炮,并鸣锣开道,令行人肃静回避。当时民国成立已十多年了,一个地方官,居然仍以清朝仪仗横行于市,对“中华民国”真是莫大的讽刺。

当时用的炮以生铁铸造炮筒，高约40厘米，直径约10厘米许。内装火药，引入火药线(俗称眼子)，上捣实黄土，竖立在地(地点初在今省人民政府门前花坛——旧月牙桥旁)，用粗香点燃，一声巨响，声闻十数里。放炮人是一个被炮声震聋的孤身驼背老者，就住在月牙桥上的一间小房子内。

子炮、头炮(定更炮)，停放的时间约在20年代中期。抗日战争时期，午炮移至白塔山顶，再移至曹家厅以南城墙上鸣放。遇日本飞机空袭兰州时，亦鸣放以作警报，因而它对兰州人民做出了贡献。午炮直至1949年8月兰州解放时才停止。

当时，除大官、富商间有一只怀表外，钟表对一般市民来说是无缘的。人们做事从不说钟点，除看太阳以外，一日三声炮，便是计时的依据。

后　记

由中央文史研究馆倡导并主编的《新编文史笔记》丛书，开辟了一条为社会主义精神文明建设服务的重要途径，得到我馆馆员和文史工作者的热烈响应。一年来，我馆经过馆内动员、社会征集，收到了七百五十多篇文稿。按照丛书编辑部的规定和要求，经过筛选、修订、审定，现择其中一百三十余篇，编辑出版，定名为《陇史掇遗》。

本书立足甘肃，面向全国，拾遗补缺，因小见大。主要收入与甘肃近代史有关的革命轶闻、名人轶事、民族习俗、文物古迹、诗文艺术、文教科技、土产特产、地方风物等方面的撰述，史料新颖，题材广泛，一文一事，白描素写，短小明快，是社会主义文艺百花园中的一株小花小草，更是珍贵的文史荟萃。希望以它的知识性、科学性、可读性、趣味性，使读者了解甘肃的往昔，甘肃的特色和风情，收到一些赏心悦目、陶情冶性的功效，增强爱国主义思想和团结奋进的精神。

立意如此，但因编者水平有限，疏漏和错误在所难免，切盼广大读者不吝教正。

在编辑过程中，本书特约顾问杜大仕、赵胜勤、顾问张思温、赵燕翼，编审匡扶、王沂暖、冯绳武、汉国萃曾给予指导和审稿。师纶、唐学亮参与了主编工作。编辑马志芬付出了辛勤的劳动。全馆工作人员给予了紧密配合和支持。

最后必须指出，本书承蒙社会专家、学者、教授、文史工作者积极惠赐佳作，又蒙特约编审、丛书编辑部主任姚以恩审阅全稿，提出许多修改意见，对本书质量的提高，起了很大作用，在此一并表示衷心的感谢！

编　者